En cette fin d'Ancien Régime,
la révolution culturelle est déjà là.
L'Antiquité revit, le pittoresque séduit,
le classement fascine.

ANTIQUITÉS
& MONUMENS
ANCIENS
DU BOURBONOIS.
& de Partie de --1781.--La Bourgogne.

Depuis l'*Encyclopédie*,
le dessin est devenu moyen
de connaissance et de communication.
A sa manière, Beaumesnil participe
à ce grand mouvement.

Recueil de toutes sortes d'antiquités dessinées d'après nature, tels que vases, urnes, lampes,
Colonnes, Statues de Bronzes, & autres; clefs, poinçons, Joyaux, ceintures, coffrets, pierres, médailles
anneaux, Armes, outils, ustencilles, et une multitude d'autres chofes, Suivant que je les ai vû chez
divers particuliers curieux. Lesquelles chofes susdites ne doivent point être placées dans ce qu'on
appelle antiquités de tel lieu, vû que ce sont des pieces mobiles, & qui sans doute ont presque toutes
été transportées, peut-être même plusieurs fois. recueilli Dujardin 1751.

(neuf Simulacres)

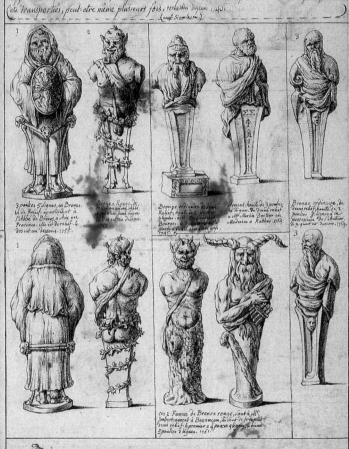

1.
3 pouces 5 lignes, un Bronze.
Ld. de Relief. appartenant à
l'Abbé de Brunn, à Aix en
Provence. elle est de relief. le
Dos est au dessous. 1753.

2.
Bronze Rouge de
Mr. au mois 1751.
est de Deux lignes
Dos est au dessous.
1753.

Bronze ordinaire de demi
Relief, haut de 2 pouces
9 lignes: est à la noblesse de
Bourges... il pres de...
pierre à faut... est fort gros.
1745.

Argent; haut de 3 pouces
10 lignes. De demi relief
à Mr. Merlin Docteur en
Médecine à Roches 1751.

3.
Bronze ordinaire, de
demi relief; haut de 2
pouces 3 lignes à la
possession de l'Auteur,
le 3 quart au dessous. 1753.

1.

ces 2 Faunes de Bronze rouge, sont à Mr.
Imbert avocat à Besançon, ils sont de relief plat
leur relief, le premier a 4 pouces à lignes, le deuxe
5 pouces 2 lignes. 1751.

3.

Bronze. 16 lignes de haut. 2 pouces 4 lignes de long, à Mr. Cortonne, l'ordin
été du Portail du public Pons, à Paris. 1742.

Plomb. 1 palme de long. 2 pouces 3 lignes de haut, à Mr. Bonnier de
la Mousson. 1745.

face, sans légende ni inscription et au revers la Diane d'Ephese mais mieux de-
cent sont situées sous la pour ou elle passe ... sur le même ... avec les
... sur la tête, et de ... de percés ... la tampon ... c'est à dire
ce qu'on ... un Simulachre Panthée, étant ... Isis, la Terre et ....
et par ... la Nature.

Cette Médaille qui est à fleur de coing, est à Monsieur de Casca... Subdé-
le de France Président du Conseil souverain de Roussillon, à Perpignan
... à été trouvée au pied de Canigou, en 1756.

Grand Bronze, ou plutôt Médaillon, de même grandeur, à Mr Nickbeelen
Seigneur Anglais qui l'avait acheté à Monsieur en Bourbonnais dans le Marché
d'un Chaudronnier...
le Visage et ... d'Auguste ... parfait et la conserve ...
... l'image de la Diane d'Ephese, traité à peu près comme à la Précédente, excepté qu'elle est fort peu terminée, ayant trois similaires, tant ...
qu'au pour ... qu'elle est placée ... du Vilebrun de son ....
J'ai vu ce revers dans ... mais sur face, je l'ai vu sur plusieurs
Médailles d'Argent, mais jamais en bronze, ... en ... grand Volume
... une ... vierge, jusqu'ici je ne ... unique.

Grand Bronze de même grandeur, à Mr ... de la ... au Vilebrun
la Déesse Rome avec sa même légende Romae Aeternae, au revers la Diane
d'Ephese ... et ... et à elle ... la précédente ... revers, mais
que la ... du Vilebrun et d'Odeo ... et le ... de quatre marches.

Simulachre de jaspe de la Diane d'Ephese, de même grandeur, à Mr
S... Anglais, qui l'a ... à Menton-... en 1775. Il est différent de
toutes les autres, sur tout celui qui sont drappés, avec à moins d'être hab-
cause, il en quoi il en ... cuirasse ... la Dea ... d'un voile
qui à quelque chose ajouté ... et le pour l'Osiris, ... gravés sur
le jaspe, et ... cette figure pour ... la Nature, ...
et ... ... comme à l'... de Dit, Diane et ... la ... et la ... en
1585, la Nature de même ... Cybele, par Demeter, ce Voile ...
Symboliquement doit à Cop qui ... qu'on lui ... Seins d'Isis
... ... je ... que cette ... a dix ... ... me fait ...
... ... de Mamelle, au ... ... jusqu'au ... .
depuis le ... jusqu'au ... ... en violet... c'est ... une Panthée.

Médaille Grecque d'Argent de sa même grandeur, à Monsieur le comte
de Tornow, Gentilhomme du comté de Toulouse en 1739.
Ce monument s'il est peu de ... ... des Amazones n'est pas non
plus fait sous le Deux nation des Romains, car rien de la ... Ya-
... n'a de rapport à ce ... maître du Monde, le Visage ... beaucoup
... du ... de Rhode, et ... êtes que le Soleil, qui comme
Apollon est frère de Diane, son deux enfant de Japoter et Latone portait
les Grecs et chez les Syriens le Soleil et la Lune, sont également frères et
Sœurs, de même qu'on ... d'Egyptien, Osiris le Soleil et Isis la Lune, ...
Il faut remarquer que cette Médaille affort grossièrement gravée, et
toutefois représentat la Diane d'Ephese, et Panthée.

Bronze de l'Imperatrice Julia Pia, la ... à son visage à la face
et au revers la Diane d'Ephese, Mathimammea à laquelle une Amazone Déesse
Déesse ... une couronne ... ... un Bœuf, ce qui nous apprend ...
n'a ... et peu de ... du Culte à cette Déesse, mais ce ... dans une
grosse Vilgion, et ... même ... nous fait aussi connaître qu'en Asie ou du
moins qu'en divers endroits de l'Asie on rend à ... Culte aux Amazones,
qui n'étaient pas tenu comme de Femmes ordinaires.
Monument à Monsieur Boutin.

Médaillon Contorniate, à Mr Crozat de sa même grandeur, à la
Face est la Visage de l'Imperatrice Plantilla, et au revers la Diane d'E-
phese, cette Médaille nous Contorniate ... quelque Amazone ont été im-
portés de Divinité avec la Diane d'Ephese, ... je ne pense pas que toute la
Nation Amazone ait été Déifiée, mais bien les fondatrices de Villes,
et celles dont les actions ont été les plus mémorables, ainsi que les législatrices
... aurais pu placer ici un plus grand nombre de Médailles représentant
la Diane d'Ephese, ou Déesse Mathimammaea, mais outre qu'il ... font ...
... ... ces autres ici, comme elles ont été publiées par de célèbres
Auteurs, tels que Duchoul, Bellorin, Silvas Patin, Montfaucon, etc.
Je me suis contenté d'après ce les copier, ... tout à ... de leurs autor-
me ravoit, on peut aussi dire d'autres Simulachres de la Bonne Déesse Mathimammaea dans Montfaucon, la Chausse, Misson, etc. et cette autre son
pierre gravée dans Antoine le Pois.

Vers l'Egypte de sa même grandeur, à Mr Boutin, qui est la Simulachre
Deetté de la Diane Mathimammaea ... ... me ... n'est pas autre
ment ... qu'on ... s'appelle ... haute Antiquité, le ... ... la

Vüe d'une Porte Antique de Périgueux, subsistante encore d'aus la
Cité, qui étoit autre fois la ville, et ce qu'on peut à bon titre
appeller la ville Antique.

Ce Monument est construit de très gros quartiers de Pierre
et d'une Bâtisse des plus solides.

Elle à quelque 12 pieds d'ouverture et n'est guéres plus é-
luvée, ce qui donne à connoître que le terrain est surhaussé de
ce qu'il étoit anciennement, ce qui n'est pas difficile à en juger par
les divers décombres, et demolitions du tout, lors du ravages.

la partie qui fuit paroît bien être ce qui à resté de la longue
continuité de voute qui portoit le terrain qui communiquoit d'une
courbine à l'autre.

Ruines d'une autre porte Antique de l'ancienne ville de Perigueux Maintenant dite la Cité, tout joignant les Arènes, bâtie également que la précédente de grands quartiers de Pierre, et d'une semblable Solidité.

Celle cy à pour différence Sur l'autre d'avoir un triple filet à la bande de Son Archivolte, et qu'on entrevoit un reste d'imposte.

Elle n'est pas Si large que l'autre, et n'à guere que ce qu'il faut pour le passage des charrettes à boeufs du pays dont la voye est fort étroite encore Si l'on n'eut pas dégradé les deux montans par le bas, le passage n'eut pas été suffisant.

Je ne crois pas qu'ici le terrain Soit tout Sur haussé qu'il est à l'autre porte, parce qu'alors le cintre eut été bien moindre que le tiers de toute hauteur, ce qui me fait encore augurer que c'étoit une fausse porte ou porte de Secours, laquelle n'étoit point destinée à l'usage d'aucun charois, poussant au plus laisser passer deux cavaliers de front. L'on voit aussi une porte Suivante, que est de Semblable bâtisse un gros quartiers, mais dont il ne reste pas assez pour assurer qu'elle Soit tronquée en voûte comme à la présente.

Si ces anciens monuments n'avoient pas été Si fort endommagés par l'avidité du trésors barbares, ils étoient pour l'éternité.

Vüe Intérieure de la Tour de la Vesone, telle qu'elle estoit en l'an
1763 par le côté qui fait face à montant de la rivière. on voit
que si les fenêtres du rang d'embas, c'est à dire aux deux tiers de l'élévation, ont été des fenêtres, elles ont été rebouchées par après, il paroit
d'en bas que c'est un enduit très bon et très solide.

Je croirois que la ville a été appellée du nom de ce monument,
car enfin Ptolomée la nomme et Vessone et Vizone.

Il est bon de remarquer que la bâtisse de cette Tour est fabriquée de deux
murs comme si c'étoit deux croutes, l'une sur l'autre.

J'ai pensé, en considérant la Statue Colossale, que cette tour pouvoit être
avoir été le Temple de Vésone, ou Vespasilla, quelque tradition qui s'en
conserve, et fait tort, les fenêtres closes, qui s'éloignant à pignon de cette
opinion, comment s'ere pas son apparence de fondement, principalement
les Mysteres d'Isis ne s'illebroient que dans des lieux sombres, il semble
que de sorte que le Rayon du soleil ny devoient point pénétrer.

Je suis dans cette opinion, parce que le Temple d'Isis à avoit point
de fenêtres et seulement qu'on peu que dans la seule porte de même et qu'on
autre Temple d'Isis à Pérouse, ainsi que l'on dit, de même il est à
Rome, l'on à culte y avoit été porté.

Reste des Arènes de Périgueux, telles qu'elles étoient en 1763. dont on distinguoit encor le pourtour exterieur. Ces
Ruines sont dans l'enclos des Dames de la Visitation, et elles les incommodent beaucoup, quoi qu'elles y ayent fait pratiquer
de petits réduits dans une partie des voutes qui sont parties le moins menacer ruines, Mes sont en partie combblés parsque partout
d'une bonne terre : et il y a des parties qui excedent de terre d'environ 15. pieds. la voute de devant dans laquelle on

2

est bâtie à encore 25 pieds d'enfoncement, et toute cette portion, quoiqu'elle n'ait que deux rangeaux de voute, à 33 pieds 8 pouces
extérieures, en examinant les débris de ces Arcenes, je me suis confirmé qu'elles étoient ornées par le dehors de Pilastre Corinthien,
mais de Colonnes, et qu'elles n'étoient composées que d'une ordre tous deux Corinthien, surmontées d'un moyen attique fort simple
toient les pierres de taillies, à mettre la fleche pour garentir du soleil, et percé de fenêtres quarrées sur chaque Arcenie.

P ierre Pinon est
architecte. Il
travaille notamment
sur les relations
entre architecture
et archéologie : apport
des architectes des
XVIIe et XVIIIe siècles
à l'archéologie,
influence des modèles
antiques sur
l'architecture de la
même époque. En
1979, il a soutenu
une thèse sur l'histoire
des réutilisations des
monuments antiques.
Il enseigne l'histoire
de l'architecture à
l'Ecole d'architecture
de Paris-La Défense.

A Mathilde et Nicolas.

*Dépôt légal : février 1991
Numéro d'édition : 49158
ISBN : 2-07-053115-5
Imprimerie Kapp Lahure
Jombart, à Evreux*

LA GAULE RETROUVÉE

Pierre Pinon

DÉCOUVERTES GALLIMARD
ARCHÉOLOGIE

Veüe de l'Aqueduc de Poictiers bastie par les Romains, dont les arches ont 15 pieds de hauteur sur 8 de large; a un quart de lieüe de poictiers, sur le haut du costeau de la riuierre du clain 1699.

Lhermitage

chemin de Poictiers à lAbbaye

« **P**ourquoi dépenser tant de peine
à rechercher l'histoire ancienne
sur ces marbres rompus, ou des pierres
à demi effacées, si nous pouvons
l'apprendre par le moyen des livres
que nous avons dans nos cabinets?
Pourtant il faut user de tous les moyens
dont l'Antiquité s'est servie pour faire
connaître son histoire à la postérité.»

Jacob Spon, 1673

CHAPITRE PREMIER
LA GAULE À L'ORIGINE
DE LA FRANCE

Parmi les «traces»
que l'Antiquité
a laissées figurent
d'abord les monnaies
et les médailles.
Témoignages de
l'ancienneté des villes,
elles racontent
l'histoire des
empereurs romains.
La numismatique
est une des branches
les plus précoces
de l'archéologie.

Comment a-t-on découvert «nos ancêtres les Gaulois»?

Au XVIᵉ siècle, les érudits se penchent sur les origines des pouvoirs : celui du roi d'abord, si discuté jusqu'à la Fronde, celui des «bonnes villes», si rassurant en ces périodes de troubles religieux. C'est dans cette quête des origines qu'ils rencontrent, sans les chercher, les Gaulois.

Les historiens français partent donc à la redécouverte de la Gaule. Dans le dessein de magnifier la France et son identité, ils cherchent à travers les Gaulois la naissance de leur nation. Car, dans la mentalité de l'époque, une nation, une ville, un groupe social quelconque tire non seulement son importance de sa puissance présente, mais aussi de son ancienneté. Se réclamer des Gaulois, c'est pour les Français remonter au-delà des Francs et des Romains, plonger dans un passé mythique dont ils ne peuvent ressortir que grandis.

Encore faut-il que les Gaulois eux-mêmes aient eu des ancêtres prestigieux. Les antiques Romains prétendaient descendre des Troyens. Les descendants des Gaulois doivent se prévaloir d'une origine aussi, sinon plus, ancienne.

L e recours à l'histoire de la Gaule permet de faire remonter à la nuit des temps les origines de la monarchie française. François Iᵉʳ se doit d'être un descendant des chefs gaulois.

La victoire de Marignan contre une armée de mercenaires suisses peut ainsi être justifiée par la guerre que, dans l'Antiquité, les Helvètes firent aux Gaulois. Ceux-ci avaient appelé César à leur aide. En 1515, c'est donc César qui logiquement remet à François Iᵉʳ l'épée avec laquelle il va vaincre les Suisses.

Les fils de Gomer

Les Troyens seront quelquefois appelés à témoigner de l'ancienneté de la Gaule. Mais le poids de la religion pèse encore très fort sur la culture savante. Il n'y a pas de chronologie qui ne soit déduite de celle qui scande la Bible. Corrélation d'autant plus évidente que la tradition chrétienne est fondée sur un livre qui est un livre d'histoire. La Bible, faut-il le rappeler, s'ouvre par la Genèse. Et, après le Déluge, l'histoire des peuples se doit de commencer avec Noé, celle des Gaulois comme les autres.

La théorie selon laquelle les origines de la Gaule seraient à rechercher dans la Bible a été largement diffusée au milieu du XVIᵉ siècle par le poète Jean Lemaire de Belges dans ses célèbres *Illustrations de Gaule et singularités de Troye* publiées en 1512.

LA SIBYLE

GAULOISE,

ou

LA FRANCE

Dans le partage du monde qui suit le Déluge, Japhet, fils de Noé, se voit attribuer des terres incultes, étendues de l'Asie Mineure à l'Europe. Dans un second partage, Gomer, fils aîné de Japhet, appelé aussi Samothès, hérite de la partie la plus occidentale de ce royaume. Les Gomérites, peuple de Gomer, sont appelés Galates par les Grecs. Les historiens antiques nous disent – cette fois la vérité historique est respectée – que les Galates sont des Gaulois. La démonstration est faite : Gomer est le premier roi de la Gaule.

A l'époque, les sources de Lemaire de Belges ne sont pas mises en doute. Mais l'histoire de Samothès, par exemple, a été inventée par Giovanni da Viterbo, érudit italien qui a fabriqué des textes pseudo-antiques. Cette légende, combattue par certains érudits, survivra jusqu'au milieu du XVIIᵉ siècle. Elle fonctionne à merveille pour fonder l'antiquité de la Gaule, donc l'ancienneté de la France, la plus éloignée que l'on puisse imaginer. Son objectif est de faire remonter les origines de la monarchie française au-delà de Mérovée, fondateur, mythique lui aussi, de la dynastie des Mérovingiens.

Quelques savants ont bien sûr perçu la différence entre légende et histoire. En 1560, Etienne Pasquier annonce que «discuter de la vieille origine des nations est chose fort chatouilleuse, car la mémoire s'en est du tout évanouie, ou convertie en belles fables et frivoles». Ce qui est matière pour l'imagination des poètes n'est pas information pour le discours des historiens. Ces derniers doivent s'en tenir aux auteurs sûrs. Claude Fauchet ne retient pour ses *Antiquités et histoires gauloises et françaises* (1579) que Tacite ou César. Aussi la rigueur de son récit tranche-t-elle avec bien des affabulations postérieures.

La toponymie mythique de la Gaule

La monarchie n'est pas la seule à vouloir fonder sa légitimité sur la Gaule profonde. Chaque ville veut se trouver un fondateur gaulois ou troyen. Gilles Corrozet, dans un petit livre joliment intitulé *Catalogue des villes et cités, fleuves et fontaines assises es trois Gaules* (1537), dresse une toponymie imaginaire des villes françaises. Le principe en est la similarité apparente. Paris a été tout simplement fondé par Paris, dix-huitième roi des Celtes, Reims par Remus. Mais les incertitudes de la méthode font que plusieurs explications peuvent cohabiter, troublant les érudits, ou les poussant à des choix arbitraires. Dans *Les Antiquités, chroniques et singularités de Paris* (1576), Corrozet combat la légende qui ferait de cet «efféminé» de Pâris (le Troyen) le fondateur de la capitale. Il voit plutôt dans ce rôle le Paris gaulois, descendant de Samothès.

Un moyen simple d'assimiler les rois de France aux héros de l'Antiquité est de leur prêter les traits de ces derniers. Comment mieux montrer que François Iᵉʳ est un descendant de Pâris sinon en donnant au fils de Priam le visage et le costume du roi de France? Mais comment fonder cette assimilation? Les rois de France seraient des descendants de Francus, premier roi des Francs, petit-fils de Priam, donc troyens.

Des pierres qui parlent : les vestiges témoignent de l'antiquité des villes

La quête des origines progresse selon trois axes : l'interprétation voire l'invention de légendes, la lecture des textes antiques conservés, l'observation des vestiges archéologiques. Curieusement, la progression chronologique, que l'on s'attendrait à trouver linéaire – de la croyance médiévale dans les mythes à l'approche archéologique des savants de la Renaissance –, offre bien des surprises : les légendes se portent bien jusqu'au milieu du XVIIe siècle et des observations archéologiques sont consignées dès le milieu du XVIe siècle. Ces deux attitudes cohabiteront longtemps, l'éclosion de la démarche scientifique n'effaçant pas immédiatement le monde plus séduisant des légendes.

Les textes antiques apparaissent comme le premier recours contre les légendes. C'est sur eux d'abord que Jean Poldo d'Albénas (*Discours historial de l'antique et illustre cité de Nismes*, 1559) et Nicolas Chorier (*Les Recherches sur les antiquités de la ville de Vienne*, 1658) fondent leurs histoires urbaines.

Quel prestige pour la ville de Reims, ville du sacre des rois de France, d'avoir été mythiquement fondée par Remus, frère du fondateur de Rome! La ressemblance des mots ouvre des perspectives fructueuses.

Cette inscription antique a appartenu au savant Peiresc.

Mais Elie Vinet (*L'Antiquité de Saintes et Babezieux*, 1584) va plus loin : «Il se trouve des gens, à qui il semble, quand ils ne savent rien des fondateurs, ni des premiers ans des villes, qu'il leur est loisible et fort beau, d'en songer. moqueurs, qui par fausses allégations, par faux témoignages, et sottes raisons, trompent les simples gens le plus habilement qu'ils peuvent. Quant à moi, j'ai toujours pensé que celui qui veut rechercher l'antiquité de quelque lieu, s'en doit aller voir, et bien visiter les vieilles murailles, regarder partout, s'il n'y a point quelque pierre qui parle, feuilleter tous les vieux auteurs qui en peuvent avoir fait mention.» A son tour, Jacob Spon (*Recherches des antiquités et curiosités de la ville de Lyon*, 1673), dans des termes très proches, se charge «de faire voir aux étrangers que les pierres parlent dans tous les coins de nos rues, pour nous instruire de ce que cette ville était sous la domination des Romains».

L es monnaies représentent un puissant moyen d'identifier le nom antique des villes. Trouver à Lyon des pièces portant l'inscription LVGD. – abréviation de LVGDVNVM –, c'est prouver que la métropole des Gaules était bien là, au confluent du Rhône et de la Saône.

Pour Gaspart Thaumas de la Thaumassière (*Histoire de Berry*, 1689) les colonnes, les chapiteaux et «autres ouvrages à la Romaine» que l'on trouve tous les jours dans le sous-sol de Bourges sont «les marques du séjour qu'ont fait autrefois les Romains en cette ville». Mieux, pour Jean Chaumeau, ils sont «les indices de sa première dignité et excellence». Les *Recherches* de Chorier appuient cette conviction : «Vienne ensevelie était incomparablement plus belle et riche que Vienne vivante.»

Force est de constater que cette splendeur n'est plus. Les ruines qui témoignent de l'ancienneté des villes le rappellent justement. La vue des «fragments épars

et rompus de l'antique noblesse de Nismes» tire des larmes à Poldo d'Albénas. Il ne pourra «pacifier sa douleur qu'en baisant et admirant les funèbres reliques et cendres» qui heureusement sont «remises à sa vue» chaque fois qu'une statue, des médailles ou des inscriptions sont mises au jour dans Nîmes.

Etudier l'Antiquité c'est un peu lui redonner vie. Certains, comme Cassan, pensent d'ailleurs que «les anciens Romains ont volontairement construit des ouvrages pompeux et superbes pour laisser à la postérité ce témoignage de leur magnificence».

Les villes antiques sont dans les caves des villes modernes

Les ruines qui émergent du sol des villes, ou qui apparaissent dès que ce sol est creusé, convainquent les savants que les villes gauloises ou romaines sont enfouies sous leurs pieds. Chaumeau sait que

L es antiquités sont d'autant plus recherchées qu'elles peuvent être aussi des œuvres d'art, tel ce bassin en argent trouvé au milieu du XVIIe siècle dans le Rhône près d'Arles, et dont Spon publie un dessin.

A ller à la recherche des monuments antiques, ce n'est pas seulement les appeler à témoigner pour l'histoire, c'est aussi faire revivre cette histoire à travers l'architecture antique que les architectes de la Renaissance cherchent tant à imiter. L'amphithéâre de Nîmes est de ces monuments suffisamment bien conservés pour instruire les savants et inspirer les artistes.

V inet tente de dater
l'enceinte du Bas-
Empire de Bordeaux par
l'examen des vestiges :
«... des pièces de
colonnes canelées et
d'autres sortes,
médailles en pierres,
images, épitaphes et
inscriptions de lettres
et langage latin.
Lesquelles reliques
d'antiquité pourraient
donner à penser que
ces murailles ne sont
pas les premières de
Bordeaux et que la ville
a été plusieurs fois
ruinée. Ainsi ces
murailles ont été faites
de ces ruines-là.
Davantage, que les
dites murailles ne sont
pas de trop grande
antiquité. Ces pierres
de temples et sépulcres
que je vois aujourd'hui
se trouver aux
fondements des vieux
murs carrés me font
douter de l'ancienneté
desdites murailles.»

l'Avaricum gauloise est sous la ville de Bourges.
Il sait aussi par quel processus elle a été enfouie :
chaque fois que la ville a été incendiée ou
partiellement détruite, les débris en ont été laissés
sur place ; ils se sont accumulés et le sol s'est ainsi
haussé de plusieurs mètres. Chaumeau, puis au siècle
suivant Nicolas Catherinot (*Antiquités romaines de
Berry*, 1682 ; *Bourges souterrain*, 1685), se feront les
chroniqueurs vigilants des découvertes fortuites de
la Bourges romaine.

Quand un puits est creusé, nous dit Catherinot,
«on trouve que la nouvelle ville est élevée de trois
ou quatre toises [six à huit mètres] de l'ancienne». Il
observe en outre que «la ville est creuse comme un
clapier et suspendue sur des caves». Pour édifier

l'hôtel de Jacques Cœur, il a fallu «entasser cave sur cave». En 1645, il a vu la place qui côtoie l'église Saint-Pierre-le-Puellier être surhaussée de deux pieds. On ne «touche même jamais à nos rues sans que l'on élève le pavé de trois doigts». En conséquence, le sol de la ville s'est tellement élevé *intra-muros* que les caves des logis adossés intérieurement à la muraille du Bas-Empire «pourraient servir de greniers à ceux qui sont bâtis dans les anciens fossés». L'idée et les règles de l'enfouissement des ruines, de la sédimentation artificielle des villes sont clairement exprimées ici pour la première fois.

Chaumeau et Vinet poussent encore plus loin leurs observations. Chaumeau remarque, lors d'une réparation effectuée au pied de l'enceinte du Bas-Empire de Bourges, que ses fondations sont constituées de frises et de corniches antiques. Il en conclut qu'«à l'occasion de quelque ruine de ladite ville réparée soudainement, les fragments des somptueux édifices ont été mis et employés en confusion, par contrainte». C'est, en substance, la découverte, vérifiée au XIXᵉ siècle, que les enceintes du Bas-Empire ont été construites en partie avec des

Pour Vinet, Bordeaux a été originairement «tracée avant qu'on y mette pierre», le plan régulier des rues romaines a été implanté préalablement à la construction des édifices. Bordeaux a donc été directement fondée comme ville. Ensuite est venue l'enceinte carrée du Bas-Empire (la partie la plus sombre du plan). L'arrivée des Barbares a ruiné la ville, et quand elle a été ensuite reconstruite, la «première disposition des rues» n'a pas été respectée, «chacun aura bâti à sa discrétion, sans être remontré, ni empêché par des magistrats. Par telles occasions peut Bordeaux avoir été déformée».

fragments arrachés à des monuments du Haut-Empire. C'est en même temps l'apparition, confuse encore, de la notion de stratigraphie : les couches urbaines les plus profondes sont les plus anciennes.

Vinet fait la même observation à Bordeaux : «Aux fondements de ces vieux murs [de l'enceinte] se trouve grande quantité de pierres ouvragées qui ont jadis servi à des temples et autres édifices.» Il en déduit précisément que la ville antique n'a pas été fortifiée avant l'époque d'Ausone qui écrivait au IVe siècle.

Les sources dont disposent les savants se diversifient : inscriptions lapidaires, médailles, textes antiques, qu'il faut «feuilleter», nous dit Vinet. Il faut «même fouiller les vieilles librairies des maisons communes, des églises, des châteaux».

❝ Il y a à Bordeaux trois choses entre autres des restes du vieil temps, qui montrent clairement que c'est ville fort ancienne, le Palais de Tutèle [détruit au XVIIᵉ siècle pour laisser place au château Trompette], le Palais Galienne [l'amphithéâtre, représenté ci-contre], et des murs qui font un carré au milieu de la ville [l'enceinte du Bas-Empire]. Le Palais Galienne fut jadis un bel amphithéâtre. Je penserais que cet amphithéâtre a été bâti sous l'empire de Gallien, et qu'on lui a donné un tel nom. Mais on l'appelle aussi Arènes, comme celles de Poitiers ou de Nîmes. Ces murs, assez improprement appelés Palais de Galienne et Tutèle, ne parlent point pour dire d'eux en quel temps ils ont été ainsi dressés. Il n'y a rien d'écrit, pas une seule petite lettre en tout cela [c'est-à-dire pas d'inscription] : de sorte que qui voudra savoir de l'antiquité de Bordeaux, devra s'adresser aux vieux auteurs grecs et latins, si d'aventure quelqu'un en a fait mention. ❞

Elie Vinet, *L'Antiquité de Bordeaux*, 1565

Le Pont Ambruieys prés de Gallargues sur le Vidourle

Des hommes de cabinet

De ces généalogies et étymologies mythiques, de cette géographie fantastique, de ces ébauches de lecture stratigraphique de la ville, comme d'un terreau fertile, vont naître les premiers signes de la constitution d'une discipline : l'archéologie.

Si la naissance de l'archéologie est une aventure, c'est d'abord une aventure de l'esprit. Pas de grandes découvertes, pas de trésors, pas de voyages exotiques. Tout se passe dans la tête de quelques savants qui ne sortent guère de leur cabinet. Ils sont magistrats, avocats, médecins, professeurs. Leurs relations sont essentiellement épistolaires. Le Rémois Nicolas Bergier, par exemple, reçoit de nombreuses informations de l'Aixois Nicolas-Claude Fabri de Peiresc, le plus célèbre des amateurs d'antiquités de son temps. Ces informations consistent le plus souvent en copies d'inscriptions antiques. Ce que Bergier sait des bornes milliaires romaines, il le tient surtout des inscriptions recopiées par Peiresc entre Nîmes et Arles.

L'étude des inscriptions occupe une place centrale dans la naissance de l'archéologie. Les ouvrages les plus érudits, celui de Chorier ou ceux de Spon, sont d'abord des recueils d'inscriptions. L'édition déjà fleurit à Paris, Lyon, Poitiers, Bordeaux, Bourges.

Certains érudits savent sortir de leur cabinet pour dessiner les vestiges romains dans leurs sites mêmes. Anne de Rulman, au début du XVIIe siècle, est de ceux-là, qui va dessiner le pont de l'antique Ambrussium, sur le Vidourle, près de Lunel.

Déjà au XVIe siècle, la passion pour les antiquités dépasse le cercle étroit des humanistes. Ainsi, l'ingénieur Pierre Garrigues, qui construit les remparts de Narbonne, est aussi un amateur · d'inscriptions antiques.

```
D          M
VALLIAE·VRBICE
SATVRNINVS
CONIVGI
MERENTISSMÆ
```

C'est une fort beau piedestal de Marbre blanc taillé à 4 faces qui soustient l'autel qui est dans la chapelle de nre dame dans l'esglise de sainct sebastien. Despuis a esté apporté à la maison de mr leonnard advocat ... selon le Mser. Viguier 1,284, on l'avoit depuis transporté sous le grand escalier de l'Archevesché

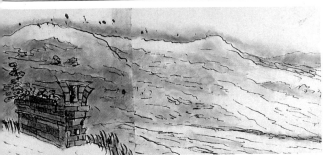

Les érudits aiment posséder les objets qu'ils étudient. Aussi accumulent-ils dans leur cabinet de curiosités les choses les plus hétéroclites : livres, fossiles, coquillages, animaux exotiques empaillés. Les silex préhistoriques, «glossopètres», «céraunies» ou plus prosaïquement «pierres de foudre», comptent parmi les objets qui excitent le plus leur curiosité.

Malgré cela, de nombreuses et riches études, comme celles de Lantelme de Romieu (1573) ou de Anne de Rulman (1625), sur Arles antique ou sur la Narbonnaise, sont restées à l'état de manuscrit. Des traditions érudites se constituent, attestées à Bourges, par exemple, par la succession des travaux de Chaumeau, de Thaumas de la Thaumassière et de Catherinot. Les comparaisons, les confrontations deviennent possibles, même à travers l'Europe, entre

RITRATTO DEL MVSEO DI FERRANTE IMPERATO

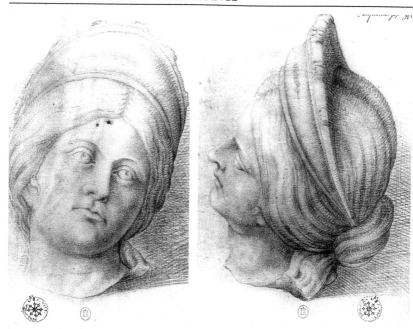

les édifices antiques de Nîmes, Pola en Istrie, Poitiers, Trèves, Fréjus, Vérone, Orange, Rome.

L'organisation de la recherche passe aussi par les cabinets de curiosités dans lesquels les savants amateurs entassent et classent antiquités et productions naturelles de toutes sortes. Il en existe dans toutes les capitales provinciales : celui de Florimond de Raymond à Bordeaux, celui de Spon à Lyon, celui de Rascas de Bagaris et évidemment celui de Peiresc à Aix-en-Provence, celui de Gagnières, celui de l'abbaye Sainte-Geneviève à Paris, pour ne citer que quelques-uns des plus célèbres.

On y retrouve toutes sortes de statuettes, vases, bijoux, mais surtout des médailles. Les cabinets ne sont pas toujours des instruments de connaissance, mais souvent des collections en soi, où les objets sont

Nicolas-Claude Fabri de Peiresc (1580-1637), conseiller au parlement de Provence, est l'exemple même de l'érudit du XVIIe siècle. Il s'intéresse aux antiquités comme à l'astronomie, aux manuscrits orientaux comme à l'histoire naturelle. Il a étudié avec Galilée à Padoue. Avec Gassendi, il dresse la première carte de la lune. Il correspond avec tout ce que l'Europe compte de savants.

appréciés selon leur rareté, classés selon leur genre. Les vrais savants, Fabri de Peiresc ou Charles-César Baudelot de Dairval, critiquent ces bric-à-brac. Pour eux, les médailles ne servent que dans une perspective de travail historique. La Bruyère, sur un autre ton, ne manque pas de se moquer du «médailliste» : «Pensez-vous qu'il cherche à s'instruire par les médailles, et qu'il les regarde comme des preuves parlantes de certains faits? Rien moins. Il a une tablette dont toutes les places sont garnies, à l'exception d'une seule : ce vide lui blesse la vue, et c'est précisément, et à la lettre pour la remplir, qu'il emploie son bien et sa vie.»

Le cabinet de curiosités de Peiresc, à Aix-en-Provence, est un des plus célèbres de son temps. Curiosités naturelles y voisinent avec antiquités et même œuvres d'art, dont certaines proviennent de la collection de Rubens. On y trouve des vases, des armes ou des statues antiques, comme des dessins. Historien – il est auteur d'une *Histoire abrégée de la Provence* –, Peiresc puise essentiellement aux sources littéraires. Souvent considéré comme un des fondateurs de l'archéologie moderne, il a rarement recours, contrairement à Bergier ou à Spon, à la confrontation entre textes et vestiges matériels.

Mais de l'étude de ces curiosités naîtront progressivement, par erreurs et corrections, les connaissances scientifiques postérieures.
Le point faible de ces hommes de cabinet apparaît quand ils cherchent à mettre en relation l'histoire, dont témoignent les textes antiques, et les vestiges monumentaux. Ainsi, le savant épigraphiste Chorier, qui refuse pourtant de croire que le miroir d'une maîtresse de Pompée ait pu donner son nom au «palais du Miroir» à Vienne, est persuadé, sans aucune preuve, que la pyramide du cirque de cette même ville

(datant du IIe siècle apr. J.-C.) est un cénotaphe dédié à Auguste. L'idée simple, évidente à cette époque, que les grands monuments doivent avoir été l'œuvre de grands souverains sera source de bien des attributions erronées, de nombreuses fausses pistes, jusqu'au XIXe siècle au moins.

La naissance de l'archéologie moderne

Un beau jour de l'année 1620, dans l'enclos du couvent des Capucins de Reims, Nicolas Bergier profite de la découverte fortuite d'un sol qui semble antique pour entreprendre ce qui est probablement une des premières fouilles archéologiques de notre histoire. «Ayant fait fouir dans le jardin dudit monastère jusques à neuf pieds [environ trois mètres] de profondeur, parut la terre ferme sur laquelle le dit chemin est assis.» Bergier vient de mettre au jour une portion de voie romaine composée de trois couches : une première très mince de chaux et de sable, une seconde très épaisse de pierres plus ou moins «cubiques ou rondes» et enfin une couche supérieure de craie pilée. Pour vérifier sa théorie des trois couches, il ouvre deux autres fouilles à Châlons-sur-Marne et sur le grand chemin d'origine romaine de Reims à Mouzon. Bergier est aussi un des inventeurs de la prospection archéologique de surface quand il découvre la voie romaine de Reims à Château-Porcien «qui paraît encore en quelques endroits bien entière au milieu des champs».

Bien sûr, Bergier, tant pour son histoire de Reims que pour sa célèbre *Histoire des grands chemins de l'Empire romain* (1622), a tiré le maximum d'informations des textes anciens. Mais, vivant à l'époque de Sully et d'Henri IV, promoteurs de grands travaux visant à améliorer le réseau des «grands chemins» français, il a pressenti qu'il fallait chercher au-delà des textes.

A la panoplie de l'humaniste, Bergier a ajouté ce qui lui manquait encore : la fouille archéologique volontairement entreprise.

HISTOIRE
DES GRANDS CHEMINS
DE L'EMPIRE ROMAIN.

PAR NICOLAS BERGIER ADVOCAT
AV SIEGE PRESIDIAL DE REIMS.

Les centres d'intérêt de Nicolas Bergier sont multiples, ils ne se limitent pas aux voies romaines. Dans son *Dessein de l'histoire de Reims* (1635), il tente de retracer l'évolution de la ville exclusivement à partir des textes et des vestiges antiques car il se méfie des légendes. «Si nous voulons remonter plus avant aux siècles précédents, à peine se trouvera-t-il chose sur quoi nous puissions mettre le pied ferme, tant il y a d'incertitude et de contrariété.» Il se moque de l'*Histoire des Belges*, de Nicolas Reucléry, dans laquelle tous les mythes médiévaux sont rapportés sans critique, et surtout de «ses suivants qui ont mal pris sa poésie pour histoire». Il réfléchit à la manière dont les noms modernes des villes sont repris des noms des peuples gaulois (les Rèmes pour Reims) et non sur les noms latins (Durocorturum). Il étudie les portes de l'antique cité, dont la porte Bazée, détruite au XVIIIᵉ siècle.

Gabriel Syméoni est un des premiers érudits à penser que la connaissance des voies romaines passe par l'étude des bornes milliaires (à gauche).

PL. II.

I   II   III

IIII   IIII

V   VI   X   VII

Ivoire   Ivoire

VIII   IX

Terre

XI   XI

Réduit au ½

Grandeur naturelle.

BRONZES &c.

Mexelberg, sc.

« **L**e temps, qui conduit insensiblement à l'oubli de toutes choses, semble renouveler la mémoire de celles dont l'origine est la plus reculée, surtout lorsque leur histoire ou leur figure ont été exprimées sur le bronze ou sur le marbre.»

Nicolas Mahudel, 1714

CHAPITRE II
LES VESTIGES DE LA GAULE

Au siècle des lumières, l'étude des vestiges matériels commence réellement à faire poids égal avec celle des textes. L'archéologie gauloise peut être représentée par des érudits officiels comme l'abbé de Montfaucon ou le comte de Caylus, mais aussi par des amateurs comme le maître de forges Pierre Clément Grignon ou le comédien Pierre de Beaumesnil. Ce dernier sera le dessinateur maniaque des ruines jaillissant des fouilles fortuites, tel l'amoncellement de fragments architecturaux antiques découvert à Périgueux en 1784.

Les découvertes archéologiques du grand siècle

Aux XVIIe et XVIIIe siècles, les vestiges antiques ne sont plus seulement appelés à témoigner de l'ancienneté des Français mais aussi de la culture spirituelle et matérielle de leurs ancêtres. Les «antiquaires» font entrer la Gaule dans le domaine naissant de l'archéologie.

Trois découvertes, plus ou moins fortuites, le tombeau de Childéric, la Vénus d'Arles et enfin l'ossuaire de Cocherel, vont animer le débat, dans un esprit archéologique et pas seulement idéologique.

Les pérégrinations du tombeau de Childéric

Le 27 mai 1653 à Tournai, un ouvrier, Adrien Quinquin, creusant les fondations d'un hospice à construire près de l'église Saint-Brice, plante sa pioche dans une bourse pleine de pièces d'or. «L'éclat de ces métaux précieux frappa comme un éclair les yeux du pauvre sourd-muet.» Il venait de découvrir un trésor : une centaine de pièces d'or à l'effigie d'Anastase, empereur d'Orient, le triple d'abeilles en or et verres colorés, selon la technique des bijoux cloisonnés répandue à l'époque mérovingienne, des monnaies d'argent, une épée décorée selon la même technique, des boucles de ceinture et enfin une bague portant une inscription qui livre l'explication de cette richesse : CHILDIRICI REGIS. Il s'agit de Childéric Ier, roi des Francs Saliens, fils de Mérovée, père de Clovis, mort à Tournai en 481. La fouille continuée par l'ouvrier sourd-muet «ne fut malheureusement pas suivie avec l'exactitude désirable», selon l'euphémisme de l'archéologue Salomon Reinach en 1898. Le trésor vécut quelques pérégrinations : réclamé par le fisc municipal, envoyé à Bruxelles pour l'archiduc Léopold-Guillaume (la Belgique était alors autrichienne), il atterrit incomplet au cabinet impérial de Vienne en 1662. Offert en 1665 à Louis XIV, alors résidant à Saint-Germain-en-Laye, il

L'étude du trésor de Childéric commence dès 1653. Aussitôt la découverte connue, le fils de l'érudit bisontin Jean-Jacques Chifflet, présent à Tournai, envoie à son père – au service de l'archiduc – une empreinte du sceau de la bague. Chifflet peut ensuite étudier l'ensemble à Bruxelles. En effet, son fils a racheté à des servantes des abeilles cloisonnées retrouvées dans les remblais du chantier. Des trois cents abeilles du trésor initial, il n'en restait déjà plus que vingt-sept en 1665. Aujourd'hui, deux seulement sont conservées.

fut porté au cabinet des Médailles du Louvre, puis à la Bibliothèque royale. Une partie, dont la fameuse bague, fut dérobée en 1831 dans le grand vol du cabinet des Médailles. Le reste fut transporté en 1852 au Musée impérial sous Napoléon III (dans le Louvre) et ne retourna au cabinet des Médailles de la Bibliothèque nationale qu'en 1872, où il se trouve encore aujourd'hui.

La Vénus d'Arles était-elle une Diane?

La Vénus d'Arles a été découverte le 6 juin 1651 en creusant une citerne dans la maison de l'abbé Lebrun, près du collège récemment aménagé à l'emplacement de l'ancienne église Saint-Georges. On trouve d'abord la tête, ce qui incite les consuls d'Arles à faire excaver à l'entour. Effort récompensé puisque le corps et les pieds apparaissent ensuite. Mais «on ne trouva point les bras qui lui manquent et qui lui donneraient la dernière beauté». D'autres fouilles seront entreprises pour retrouver les bras perdus. En vain.

Grand archéologue normand, l'abbé Cochet, qui réétudia le tombeau de Childéric au milieu du XIXᵉ siècle, ironisa sur le livre publié par Chifflet en 1655: «Tout hérissé de grec et de latin, tout saupoudré de noms d'auteurs et d'extraits, [ce livre] n'est guère qu'une nouvelle pierre sépulcrale scellée sur la tombe du roi franc.»

Dans le débat sur la Vénus d'Arles (page suivante), l'architecte Jacques Peytret apporte un argument de poids à Terrin. Dès 1680, il a «découvert, par les voûtes en pente de cet enclos qui tournent en demi-cercle, et qui apparemment soutenaient des degrés, que c'était un théâtre et non pas un temple de Diane». Les fouilles du XIXᵉ siècle, en dégageant effectivement un théâtre, lui donneront raison. Jusque-là, seules deux colonnes du mur de scène émergeaient dans la cour d'un couvent.

La cour du couvent d'où fut tirée la Vénus d'Arles connut un sort à la hauteur de la découverte. Les sculptures trouvées fortuitement y furent conservées; la cour fut ouverte au public. A la fin du XVIIIe siècle, la municipalité en fit officiellement un «jardin d'antiques». Lassée de voir ses plus belles antiquités emmenées à Paris, la Ville décida en effet de les garder, soit dans le jardin public du théâtre, soit dans l'église des Minimes aux Alyscamps. Là, en 1784, les consuls, à l'initiative du père Etienne Dumont, installèrent le Museum Arlatense. L'ensemble des antiquités fut transporté dans l'église Sainte-Anne en 1813; il y restera cent cinquante ans. Le peintre arlésien Etienne Tassy (1761-1803) a laissé de belles aquarelles de ces deux musées avant la lettre (ci-contre, le «jardin d'antiques» avec les deux colonnes du théâtre romain).

Mais quel nom donner à cette belle dame de marbre? Pour l'érudit d'Arles, François Rebattu, la dame sans bras est une Diane car la tradition fait du lieu de la découverte un temple de Diane. Deux colonnes encore debout dans la cour du collège semblent prouver qu'il s'agit d'un temple.

La statue est immédiatement portée à l'hôtel de ville, puis offerte au roi. Elle sera transportée à Versailles en mai 1684. Le roi charge son premier sculpteur, François Girardon, de doter la Diane de bras neufs. Tout est bien. Mais s'agit-il vraiment d'une Diane? De 1680 à 1687, le débat fait rage. Contre Rebattu, Claude Terrin, conseiller du roi comme lui, avance en 1680 qu'il s'agit d'une Vénus; à Terrin, le père jésuite Albert d'Augières répond en 1684 qu'il s'agit bien d'une Diane. En 1687, Joseph Seguin, autre érudit arlésien, note philosophiquement : «Chacun a soutenu son opinion avec assez de chaleur. [...] Les hommes se font un plaisir à se contredire, [mais] c'est par là qu'on a fait tant de progrès dans les sciences.»

Le sujet du débat, c'est donc la dame et ses attributs, ou plutôt l'absence d'attributs : une Diane sans flèches, sans carquois, sans arc! D'Augières prétend qu'ils ne sont pas indispensables pour une statue provenant d'un temple. L'argument est faible. Mais, puisqu'il ne peut pas prouver qu'il s'agit de Diane, notre jésuite veut au moins démontrer que le corps n'est pas celui de Vénus. Pour Terrin, Diane portait une «robe serrée sur le sein» alors que la statue d'Arles a le bas du corps couvert d'une draperie lâche. Seguin remarque que c'est sur l'argument du corps que le débat a été tranché : «La Vénus d'Arles. C'est ainsi que cette question a été décidée à Paris, à la gloire de Monsieur Terrin,

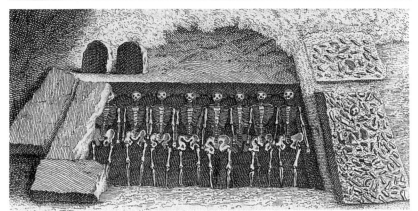

où l'on a eu beaucoup d'égard aux grosses hanches qui paraissent en cette statue et qui ne sauraient convenir à l'agilité que doit avoir la déesse des forêts et des montagnes.» Entre savants et ecclésiastiques, le débat ne manque pas de sel.

Les dépouilles de l'ossuaire de Cocherel étaient-elles celles de chrétiens ou de barbares ?

Un jour de fête religieuse de l'an 1670, alors que les habitants de Cocherel sont assemblés à l'église, trois Anglais «font un trou d'où ils tirent les os de deux corps». Averti, le seigneur du lieu, Robert de Cocherel, trouve les «reliques» abandonnées sur le bord du trou et suppose que les Anglais cherchaient à retrouver des tombes de leurs congénères morts lors de la guerre de Cent Ans.

Quelques années plus tard, Cocherel entreprend de déterrer «deux grandes pierres posées debout» présentes sur le même site, qu'il souhaite utiliser pour la construction d'une écluse sur l'Eure. Sous les pierres, un sépulcre collectif apparaît : deux crânes et deux pierres polies, l'une en silex, l'autre d'une roche verte dure. Sous ce premier sépulcre, d'autres grosses pierres, une vingtaine de squelettes, des haches polies, des pointes d'épieu en os, un andouiller de cerf servant d'emmanchement à une hache, et plus loin des ossements brûlés.

Le 11 juillet 1685, Oliver Estienne, subdélégué de la

Les antiquaires cherchèrent à dater les squelettes découverts à Cocherel (ci-dessus). L'abbé de Cocherel, le premier, émit l'hypothèse que les incinérations et les inhumations étaient respectivement celles de Gaulois et celles de barbares, et que les Gaulois, vainqueurs d'une bataille, avaient brûlé leurs morts et sacrifié les prisonniers barbares. Dom Jacques Martin, auteur d'une *Religion des Gaulois* (1727), trompé par une comparaison rapide avec des tombes scandinaves semblables, en tint pour les Francs. L'antiquaire Montfaucon attribua lui aussi les os incinérés aux Gaulois et les corps inhumés à une «nation barbare» ne connaissant pas encore le fer.

généralité de Rouen, son greffier Jean Huncy,
le curé Devin, Jean Blaubuisson, chirurgien,
se retrouvent devant le trou creusé en terre.
A la requête de Robert de Cocherel, ils sont là
pour dresser procès-verbal : les os qui viennent d'être
déterrés sont-ils des os de chrétiens? Si oui, il faudrait
que le seigneur de Cocherel renonce à extraire les
pierres dont il a besoin.

Les incinérations attestant qu'il ne s'agit pas de
chrétiens, Robert de Cocherel peut «appliquer les
dites pierres sans aucun scrupule à tel usage que bon
lui semblerait». La précision du procès-verbal,
rapporté par l'abbé de Cocherel (frère du seigneur),
indiquant positions des corps et des objets ainsi que
mesures, permet de tirer d'emblée des observations
très pertinentes. A propos des haches polies, le
procès-verbal indique : «Ces pierres s'enchâssaient
par le bout le plus étroit dans un morceau de corne
de cerf creusé par le bout pour y recevoir une de ces
pierres, [la corne étant] percée par le milieu pour
l'emmancher au bout d'un bâton, et en faire une
hache.» Les haches polies étaient alors considérées
comme des «pierres de foudre» et non comme des
outils ou des armes; de même, les dolmens – le mot

I ntrigué par les haches
polies de Cocherel,
Montfaucon consulte
Jean-Christophe Helin,
professeur à Bâle.
Pour ce dernier, déjà
capable de distinguer
les trois âges de
la pierre, du bronze
et du fer, la présence
d'armes en pierre date
l'ossuaire d'avant les
Gaulois. Montfaucon
n'osera pas le croire.

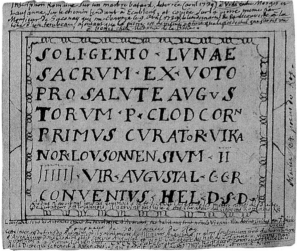

P arallèlement
aux travaux
de l'Académie des
inscriptions et belles-
lettres, des amateurs
érudits s'échangent
des informations.
Ainsi, des copies
d'inscriptions
découvertes à Uzès au
milieu du XVIIIe siècle
sont envoyées à Pierre-
Michel Hennin, érudit
genevois, par un
informateur local.

n'apparaîtra qu'au début du XIXᵉ siècle – étaient alors considérés comme des autels druidiques – les «celtomanes» le croiront jusqu'à l'aube du XXᵉ siècle – et non comme des sépultures. La bonne interprétation vint peut-être justement du fait que les découvreurs avaient peu de références livresques, qu'ils raisonnaient seulement d'après ce qu'ils voyaient.

Les académies organisent la recherche

L'Académie des inscriptions et belles-lettres créée en 1701 – sous le nom d'Académie royale des inscriptions et médailles – va ouvrir de nouvelles voies à la recherche de la Gaule, pas tant par le nombre de séances ou de mémoires qui lui sont consacrés que par l'organisation qu'elle apporte à la recherche. L'Académie est d'abord le lieu des débats et de la centralisation des informations. Les académiciens ont pour obligation, «à tour de rôle», de lire des mémoires qu'ils nourrissent de leurs propres recherches mais aussi des informations communiquées par des érudits ou des curieux dispersés dans les provinces du royaume. En effet, les académiciens sont des hommes de cabinet; ils ne

À propos des mégalithes, qu'il attribue à des «barbares du Nord» et dans lesquels il voit des «objets de culte», Caylus déclare prudemment : «On s'y perd, et le silence est le meilleur parti.» Pourtant, grâce aux informations que lui donne, de Bretagne, le président de Robien, il pense qu'ils sont très antérieurs à l'arrivée de César en Gaule. Caylus est le premier à supposer qu'ils datent d'avant les Gaulois. Ce qui n'est pas si mal pour quelqu'un qui a la coquetterie de se présenter comme un amateur.

parcourent pas les campagnes à la recherche des antiquités découvertes par hasard. Ils ont des informateurs, qu'en échange ils aident intellectuellement, et moralement, par la simple autorité royale que l'Académie représente.

Chaque académicien a son réseau d'érudits locaux : notables, officiers royaux ou municipaux, magistrats, médecins, ecclésiastiques... Celui de Philibert Bernard Moreau de Mautour est très vaste, allant du Soissonnais à la Provence. En 1724, des voyageurs anglais retrouvent une inscription découverte au XVIIᵉ siècle lors de la construction de la chapelle de Tain-l'Hermitage, l'achètent à l'ermite et s'apprêtent à la transporter sur le Rhône. L'officier de la ville de Tain les rattrape, ramène l'inscription et envoie une copie à Moreau de Mautour.

Au centre du savoir académique trônent les historiens de l'Antiquité. Pour la Gaule, César occupe évidemment le devant de la scène. Aussi les académiciens travaillent-ils d'abord sur les thèmes que proposent les *Commentaires de la guerre des Gaules* et sur les problèmes qu'ils permettent de résoudre. La topographie des villes – Alésia, Gergovie, Genabum (Orléans) –, la configuration des «camps de César», le réseau des voies romaines sont l'objet de nombreux mémoires.

Avant le XIXᵉ siècle, le lieu de la défaite de Vercingétorix ne fut l'objet d'aucun débat. Dès le XVIᵉ siècle, les savants acceptent la tradition qui le place à Alise-Sainte-Reine (ci-dessous, d'après Juste Lipse). Seul, à la fin du XVIIᵉ siècle, un auteur de comédies et néanmoins érudit, Jean-Pierre des Ours de Mandajors, veut placer Alésia sur une colline près d'Alès. Bien sûr, il se trompe, mais les débats ne sont jamais inutiles. Ce qui induit les érudits en erreur, c'est souvent leur obsession de faire coïncider à tout prix des noms de lieux cités dans les textes antiques avec ceux où ont été découverts des vestiges. Le principe est louable, mais les applications la plupart du temps arbitraires.

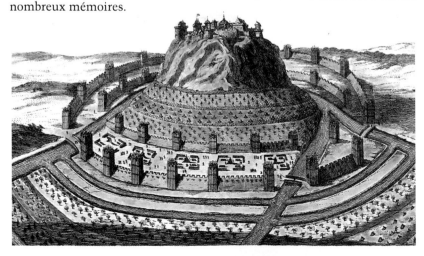

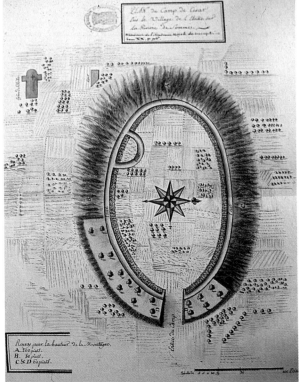

Les nombreux oppidums celtiques du nord et de l'ouest de la Gaule ont attiré l'attention des antiquaires dès le XVIIIe siècle. Traditionnellement, beaucoup étaient appelés «camps de César». Certains y voient effectivement des camps construits pour les légions du conquérant de la Gaule. D'autres, tel l'abbé Fontenu, de l'Académie des inscriptions et belles-lettres, les datent des grandes invasions. Mais tous considèrent que seuls les Romains ont été capables d'effectuer de tels terrassements. Les recherches modernes ont montré qu'ils étaient antérieurs à la conquête, même si certains, comme le «camp de César» de l'Etoile (Somme), ont été réutilisés au Bas-Empire et même au Moyen Age, ainsi que l'attestent les traces d'une motte féodale. Le camp de l'Etoile, connu dès le XVIIIe siècle (plan aquarellé ci-contre), a été redécouvert par la prospection aérienne.

Profils du Camp de Bière, *pris sur les Lignes A,B. et C,D.*

L'exploration des bonnes villes et des terroirs par les érudits locaux

Les découvertes archéologiques ont souvent lieu à l'occasion des travaux des villes ou des travaux des champs. Les travaux des villes, ce sont d'abord les fréquentes reconstructions de maisons, les constructions de monuments ou de fortifications. Les observateurs de ces chantiers sont les clients eux-mêmes, les hommes de l'art – architectes ou ingénieurs – et enfin les antiquaires à l'affût.

La construction de remparts est exemplaire. Ainsi, l'amphithéâtre de Besançon, vaguement connu de Jules Chifflet au XVIᵉ siècle, surgit en 1678 des terrassements ordonnés par Vauban. Un témoin, Louis Prost, voit «comme sortir du sein même du rocher cinq ou six arcades du premier ordre de l'amphithéâtre : les piliers en paraissaient encore à la hauteur de quatre ou cinq pieds : ils sont faits de pierres d'une grosseur qui n'était ordinaire qu'à l'architecture romaine». C'est dans le cadre du même programme de fortifications élaboré par Vauban qu'en 1677 le grand amphithéâtre de Metz est retrouvé et immédiatement recouvert de remblais. Un observateur, Paul Ferry, s'indigne : «Nous avons vu avec grand déplaisir abattre les restes de l'amphithéâtre pour le gagne-pain de quelques misérables mortes-payes de la citadelle et l'ignorance

Que Caylus étudie le «camp de César» de Sougé dans le Vendômois, ceux de Bière (ci-dessus) et du Châtelier près d'Argentan, il se fonde essentiellement sur l'observation du terrain et les cartes particulières, nombreuses à être levées au XVIIIᵉ siècle. Dans cette entreprise, il s'appuie sur les travaux des ingénieurs des Ponts et Chaussées, dont le célèbre Trésaguet.

En professionnels, les ingénieurs des Ponts et Chaussées étudient profils en long et profils en travers, observent que les Romains aimaient les lignes de crête, que les chaussées étaient composées de plusieurs couches de pierres et de cailloux. Pour étudier la voie romaine de Chartres à Orléans, Caylus utilise les plans levés par Poitiers, ingénieur à Orléans.

du sieur Sérigot, sergent-major de cette garnison.»

Les travaux des champs permettent, aussi, bien des trouvailles. Les dépierrages détruisent tumulus ou dolmens effondrés, les défrichements arasent les vestiges conservés par le milieu forestier, les travaux hydrauliques comme les labours mettent au jour des structures enfouies.

Les ingénieurs archéologues

«La construction et la réparation des grands chemins, dont la France est maintenant plus occupée qu'aucun autre pays d'Europe, obligeant à fouiller la terre, donnent occasion de retirer de ses entrailles, des monnaies qu'elle n'a pas eu le temps de consumer tout à fait», écrit Anne Claude Philippe de Tubières, comte de Caylus, en introduction à son étude sur les épées de Gensac trouvées sur la route royale de Moulins à Clermont-Ferrand.

Les ingénieurs des Ponts et Chaussées qui parcourent et cartographient le territoire, surtout dans la seconde moitié du XVIIIe siècle, s'intéressent en priorité aux routes romaines, mais pas exclusivement. Encouragés par Daniel Charles Trudaine, directeur des Ponts et Chaussées et ami de Caylus, pour certains personnellement curieux d'antiquités, les ingénieurs sont omniprésents dans les découvertes en milieu rural.

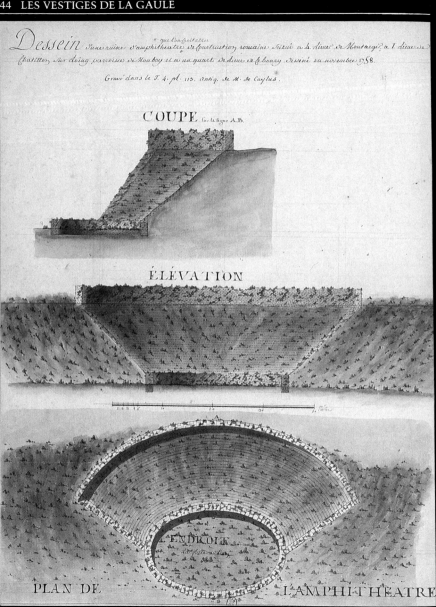

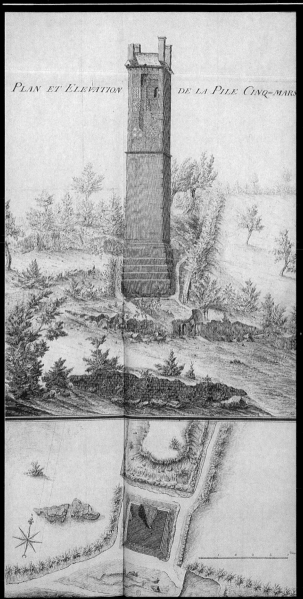

PLAN ET ELEVATION DE LA PILE CINQ=MARS

Les ingénieurs des Ponts et Chaussées ne se contentent pas de signaler les découvertes fortuites que révèlent leurs travaux. Ils relèvent, grâce à leur compétence de technicien et à leur talent de dessinateur, les ruines antiques qui parsèment le territoire. Ainsi le théâtre-amphithéâtre de Montbouy (à gauche) est-il soigneusement dessiné en 1758 par l'ingénieur qui s'occupe de la route de Montargis à Chatillon-sur-Loing. Un autre ingénieur représente dans son pittoresque paysage la Pile de Cinq-Mars (à droite), monument funéraire romain. Dès la fin du XVIIᵉ siècle et au cours du XVIIIᵉ, quelques intendants de Généralités vont jusqu'à entreprendre des fouilles d'envergure, comme Foucault, en poste à Caen, un des plus grands collectionneurs de monnaies de son temps, qui a fait dégager en 1691 le théâtre d'Alauna (près de Valognes) et en 1703 les thermes de Vieux (capitale des Viducasses).

Veüe d'un ancien Arc de Triomphe à Autun (1680).

L'un des plus actifs est Legendre, ingénieur de la province de Champagne, beau-frère de Sophie Volland, l'amie de Diderot. Legendre sera en 1750 le vrai découvreur du Châtelet, principal chantier de fouille de la fin du XVIIIᵉ siècle.

Sur un mode mineur – puisque l'écho des découvertes n'arrive pas toujours jusqu'à Paris –, les travaux des routes permettent de déterrer villas gallo-romaines et médailles, particulièrement en Normandie. Les travaux routiers de l'époque jouent un peu le même rôle que les chantiers autoroutiers aujourd'hui : ils détruisent certains vestiges – jadis pour récupérer leurs matériaux – mais aussi en révèlent d'autres.

L'ouverture de nouvelles routes permet souvent la découverte des ruines de villas, souvent prises pour celles de maisons de ville ou d'édifices publics urbains. Cette erreur a une double raison : les antiquaires ignorent encore que les villas étaient si répandues dans la Gaule romaine, et surtout ils ont la conviction que l'apport de Rome à la Gaule avait essentiellement résidé dans la construction de villes.

L'exploration du territoire : les voyageurs

Si les enquêtes archéologiques des érudits sont d'abord épistolaires, certains d'entre eux voyagent,

Le père jésuite et architecte Etienne Martellange, qui inspecte, à travers le royaume, les chantiers des églises de son ordre, dessine en passant à Vienne la Pyramide (1605), à Orange le théâtre et à Autun les portes (1611). Autun, l'antique Augustodunum, que l'on croit d'ailleurs être à l'emplacement de la Bibracte gauloise (en fait au mont Beuvray), est alors une des villes de France où le voyageur peut découvrir le plus de monuments romains conservés. La porte d'Arroux (ci-dessus) n'a pas changé d'aspect depuis le XVIIᵉ siècle.

et certains voyageurs deviennent quelquefois des érudits. Le tourisme existe dès le XVIIe siècle, comme l'atteste le récit de Jean de Préchac, passant à Nîmes, vers 1683, en galante compagnie : «L'agréable Mademoiselle du *** nous vint interrompre pour me demander où était cet amphithéâtre que j'avais promis de lui faire voir. J'eus beau lui dire que nous y étions, elle me soutint toujours qu'elle ne voyait que des maisons, comme dans les autres endroits de la ville. Il est vrai qu'on a eu tort de défigurer un bâtiment qui est le plus entier qui nous reste des antiquités romaines. Soit que cette aimable personne me parlât ainsi par plaisanterie, ou qu'effectivement, elle n'eût remarqué ces grandes arcades qui font le tour du cirque, je trouvai qu'elle avait raison de chercher l'amphithéâtre dans l'amphithéâtre même. Pour satisfaire sa curiosité, je fus obligé de lui faire remarquer les arcades qui environnent l'amphithéâtre.»

Dès le XVIIe siècle, de véritables guides du royaume sont publiés, comme l'*Ulysse françois* de Louis Coulon (1643), qui signale entre autres monuments les amphithéâtres d'Angers, de Poitiers, d'Orange (le théâtre probablement), d'Arles, de Nîmes, de Narbonne, de Toulouse, de Bordeaux.

Si en ce temps-là les voyageurs sont rares à pouvoir

Cette vue des arènes de Nîmes en 1704 est partiellement réaliste. Elle indique bien les tours médiévales, traces du château des chevaliers des arènes, ainsi que le clocher de l'église Saint-Martin et les maisons qui à l'intérieur forment un quartier d'habitation, mais elle oublie les autres maisons qui à l'extérieur s'appuyaient sur l'amphithéâtre, obstruant la plupart des arcades. La volonté de représenter un amphithéâtre des Romains et non un quartier de la ville moderne a suscité cette idéalisation. Le dessinateur (anonyme) n'a réellement vu que ce qu'il voulait voir.

se permettre de se déplacer dans le seul dessein d'étudier les monuments antiques, certains se trouvent dans une position professionnelle qui les amène à visiter de nombreuses villes. Ainsi les architectes qui, comme Etienne Martellange, voyagent beaucoup pour leurs chantiers ou leurs études comptent parmi les premiers découvreurs.

Le voyageur est ainsi celui qui hors des villes, au fil des routes, découvre les monuments isolés dans les campagnes ou les montagnes, tels le trophée de La Turbie ou les «antiques» de Glanum.

Les grands voyages archéologiques commencent seulement à la fin du XVIIIe siècle. Le *Voyage d'Auvergne* (1787-1788) de Pierre-Jean-Baptiste Legrand d'Aussy est le type même des voyages pittoresques de l'époque. L'auteur s'y moque surtout des manies des antiquaires locaux, de leurs conjectures imprudentes. Mais adoptant aussi le sérieux de l'archéologue, il devine le premier que les tessons de céramique sigillée romaine fréquemment trouvés dans les fouilles – comme à Gergovie en 1765 par Théophile Malo Corret de La Tour d'Auvergne – ont été fabriqués à Lezoux (entre Clermont et Thiers). Il ne lui manque que de savoir dessiner.

Un dessinateur-antiquaire : Pierre de Beaumesnil

A la fin du XVIIIe siècle, le dessin, par la supériorité qu'il a sur les descriptions, sera un des facteurs du progrès de l'archéologie. Les gravures publiées par Bernard de Montfaucon au début du siècle sont malhabiles donc imprécises. Tous les antiquaires, assis dans leur cabinet, se plaignent de ne pouvoir travailler sur des documents fiables. Baudelot de Dairval est catégorique : «Le dessin est absolument nécessaire, il s'y faut styler de bonne heure. Il se rencontre en effet tant de chefs-d'œuvre à ramasser, qu'un voyageur manquerait à son but principal s'il n'avait pas appris, ou s'il ne se pouvait servir de crayon.» Le progrès du dessin, à la fin de l'Ancien Régime, devient général.

Aussi, quand le 16 novembre 1779 les académiciens reçoivent le premier cahier de dessins d'un certain

Les objets les plus humbles découverts dans les fouilles fortuites échappent aux hommes de cabinet. Seules leur parviennent les œuvres d'art, les médailles ou les inscriptions. Ainsi les vases de céramique sigillée gallo-romaine (ci-dessous et ci-contre) ne sont-ils examinés que par les voyageurs ou les chercheurs locaux les plus curieux.

Beaumesnil, concernant les monuments antiques d'Agen, ils ont quelque peine à cacher leur joie derrière leur scepticisme scientifique. Régulièrement, jusqu'en 1784, ils se régaleront à l'arrivée des cahiers de dessins de Pierre de Beaumesnil, ancien comédien installé à Limoges. Depuis 1774, à la demande de Necker, directeur général des finances, il y reçoit une rente viagère de l'intendant, afin de ne pas «exposer un savant estimable à mourir de faim». Beaumesnil avait un grand projet : publier ses *Recherches générales sur les antiquités et monumens de la France avec les diverses traditions*. Il y a mis d'abord ses propres moyens puis ceux accordés par les intendants de Limoges. Il a exploré la Provence, l'Aquitaine, la Bourgogne, le Bourbonnais, le Poitou, l'Auvergne et le Périgord.

Sa récolte est immense. Beaumesnil s'attache surtout aux vestiges méconnus et aux découvertes récentes. Mais il ne manque pas non plus de visiter les cabinets des curieux. Il entreprend des fouilles près du château de Ligones à Lezoux – en 1780, avec le propriétaire, Charles-Antoine Claude Chazerat, intendant d'Auvergne –, après avoir remarqué une abondance de tessons en surface, et découvre des

V oyageurs et chercheurs amateurs, tels Legrand d'Aussy, Beaumesnil ou Grignon, sont aussi ceux, quand ils savent dessiner, qui donnent les vues de vestiges antiques les plus inédits. Nous devons ainsi à Beaumesnil une des rares représentations de l'amphithéâtre de Poitiers.

fours de potiers de cette importante officine
de céramique sigillée.

Mais Beaumesnil est plus un curieux qu'un
antiquaire, il s'intéresse aussi à l'étrange, à l'érotique,
partage avec beaucoup de ses contemporains la
fascination pour les statues de Priape. Sa réputation
de faussaire, fondée sur quelques inventions comme
celle des statues lubriques du château de Monjeu,
près d'Autun, ou celle du temple «druidique» de
Limoges, jettera Beaumesnil dans l'oubli.

Les monuments antiques du midi de la France

Pendant l'âge classique, la Gaule romaine domine
la Gaule celtique dans les préoccupations des
antiquaires. La culture latine, l'architecture à
l'antique, alors à la mode, les théories néoclassiques
de l'Allemand Johann Joachim Winckelmann
incitent évidemment à étudier en priorité les
monuments romains. Le midi de la France, là où
subsistent les édifices les mieux conservés, est donc

le terrain de choix de leurs investigations.

Nîmes et Arles possèdent de fortes traditions
érudites. Très tôt de bons dessins sont publiés, pour
Arles surtout avec les extraordinaires vues cavalières
de Jacques Peytret (1665), plus tard pour Nîmes avec
les gravures illustrant la monumentale *Histoire de
Nîmes* (1758) de Léon Ménard, et surtout avec
l'œuvre de l'architecte Charles Clérisseau, suivi
au début du XIXe siècle par l'ingénieur des Ponts et

Vue fantaisiste de la
Maison carrée de
Nîmes (ci-dessus). Joyau
de l'architecture
romaine en Gaule, ce
petit temple de l'époque
d'Auguste a fasciné de
nombreux artistes qui
l'ont représenté plus ou
moins fidèlement dans
son cadre urbain.

S igne d'une seconde renaissance de l'Antiquité, les monuments romains du midi de la France entrent dans un château royal. En 1787, à la demande de Louis XVI, Hubert Robert peint quatre *Vues des monuments de la France*, dont *Le Pont du Gard*, pour Fontainebleau.

L es «Antiques» (Saint-Rémy-de-Provence) comptent parmi les monuments qui intriguent le plus. A quelle ville sont-ils liés? De quand datent-ils? Leur renommée est telle que dès 1564 Charles IX s'y est fait conduire et, dit la tradition, a ordonné de les restaurer. En 1761, la découverte d'une inscription donne définitivement le nom de Glanum au site.

Chaussées Victor Grangent. Pourtant jamais au XVIIIe siècle l'architecture gallo-romaine n'a directement servi de modèle aux architectes français qui regardaient vers Rome au mépris des œuvres provinciales; même si Jules Hardouin-Mansart, l'architecte du château de Versailles, disait qu'il n'avait «jamais rien vu de plus parfait», ni qui lui eut «donné de plus belles idées pour sa profession, que le monument antique de la Maison carrée».

La rareté des fouilles volontaires

Malgré la déclaration enthousiaste du comte de
Caylus, reprise par Claude-Madeleine Grivaud de
La Vincelle en 1817, pour qui «le sol de la France
est une mine inépuisable de richesses pour les
antiquaires», les exploitations volontaires ont
été rares avant le XIXe siècle.

En ville, les antiquaires ont tendance à penser
qu'elles ne sont ni possibles ni vraiment souhaitables :
«Il y a eu des prêtres d'Auguste à Sens et nous
l'ignorons. Il y avait encore bien d'autres choses
plus belles que celles-là, mais nos petits-neveux
en sauront peut-être quelque chose, pourvu qu'on
renverse la ville de fond en comble pour en retrouver
toutes les pierres! C'est le seul moyen, que je sache,
pour faire l'histoire ancienne de cette ville, mais le
moyen est un peu tragique», écrit en 1736 l'abbé
Fenel. Le tragique, soit dit incidemment, viendra
au XXe siècle avec les parkings souterrains et autres
rénovations qui bouleverseront bien des centres
anciens au seul bénéfice de fouilles de sauvetage
involontairement hâtives.

Plus rares sont ceux qui estiment les fouilles

«Les antiquailles
m'arrivent, je les
étudie; je les fais
dessiner à de jeunes
gens dont le goût se
forme. Je jette ces
gravures dans un coin
[...] et quand il y a de
quoi faire un volume, je
les donne à quelqu'un
de notre Académie qui
veut bien corriger les
épreuves et veiller à
l'impression.»
                    Caylus

PL. XIV.

Details des deux Pavés en Mosaique d'Avenche.

Le Lion n'est dans le Pavé D sur La Diagonale du Paneau.

A. Rosette du second Pavé. C.

Ritter del.

Parmi les rares fouilles volontaires du XVIIIᵉ siècle, celles menées à Augst (près de Bâle, l'ancienne Augusta Raurica) sont particulièrement intéressantes. Elles vont au-delà des simples sondages, comme ceux que l'abbé Germain, par exemple, avait fait effectuer dans le théâtre d'Autun, au début du siècle. En 1761, donc, le juriste bâlois Harscher entreprend une fouille près du théâtre, à un endroit où un paysan a trouvé des moules de plomb ayant servi à la frappe de monnaies. Les recherches ne donnent pas les résultats espérés – un trésor de monnaies –, mais un atelier de fondeur est alors soigneusement dégagé, comme le montre l'aquarelle de l'architecte Ritter. Le même Ritter, qui a publié un recueil de dessins sur les *Antiquités de la Suisse* (Berne, 1788), a relevé les mosaïques trouvées dans des thermes à Avenches (Aventicum) en 1786.

inutiles. La Tour d'Auvergne, le fouilleur de Gergovie en 1765 est de ceux-là, peut-être parce qu'il n'y a pas fait les découvertes espérées : «L'on n'a fait souvent qu'entasser des décombres sur des décombres, des ruines sur des ruines; et associer le lecteur à des fouilles, d'où, après de pénibles recherches, il ne pouvait le plus souvent retirer qu'une stérile abondance.»

Le Châtelet : la grande fouille de l'Ancien Régime

La seule grande fouille de l'époque est celle du Châtelet entre Saint-Dizier et Joinville en Haute-Marne. En 1750, l'ingénieur Legendre, étudiant une inscription antique, a l'intuition, fondée sur de nombreuses découvertes de monnaies au sommet de

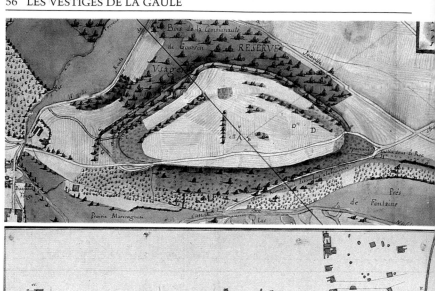

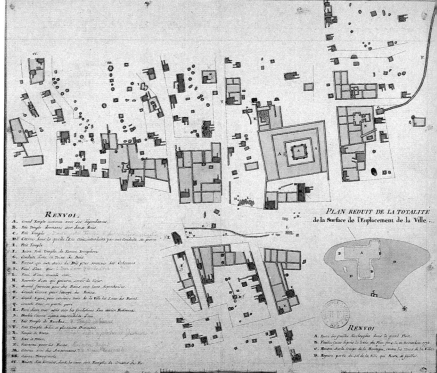

RENVOI.

A. *Grand Temple commun avec ses dépendances.*
B. *Petit Temple donnant sur deux Rües.*
C. *Petit Temple.*
D. *Citerne dans la quelle l'Eau etoit introduite par une Conduite en pierre.*
E. *Petit Temple.*
F. *Autre Petit Temple, de Forme Irreguliere.*
G. *Conduite d'eau, en Tuiaux de Bois.*
H. *Roches qui ont servi de Dés pour soutenir des Colonnes.*
I. *Rond-Point. Rue ....*
K. *Puits, d'eau, Conduite d'eau.*
X. *Ruisseau d'eau qui passoit, au-dela du Viver.*
N. *Grand Fontaine pour des Bains avec leurs dependances.*
O. *Grande Citerne pour l'usage des Bains.*
P. *Grand Egout, pour conduire hors de la Ville les Eaux des Bains.*
Q. *Grande Cour en partie pavée.*
R. *Porte d'une Cour pavée sur les fondations d'un ancien Bâtiment.*
S. *Double Citerne separée, une creches d'eau.*
T. *Petit Temple St. Nicolas ....*
V. *Petit Temple Antic, à plusieurs Portiques.*
X. *Temple de Venus.*
Y. *Four a Tuiles.*
Z. *Fourneau, pour des Bains. ....*
&. *Citerne avec des Anticaméras ....*
&&. *Grand Fontaine ...*
CC. *Maison, sur Terrasses, dont le coin étoit Remplie de Croisées, sur Fer.*

PLAN REDUIT DE LA TOTALITÉ
de la Surface de l'Emplacement de la Ville ...

RENVOI

A. *Partie des fouilles developpées dans le grand Plan.*
B. *Fouilles faite depuis le levée, du Plan, jusqu'au mois de Novembre 1774.*
C. *Maison, sur le Coupe de la Montagne, contre les Tours de la Villes.*
D. *Repeure, partie du Sol de la Ville qui Reste à fouiller.*

la «montagne», que Le Châtelet avait été une ville. C'est sans doute en connaissance de cause que vingt ans plus tard Pierre Clément Grignon, maître des forges voisines de Bayard, entreprend d'explorer le site. Après quelques découvertes en surface, il conclut lui aussi que «nécessairement il avait existé une ville sur la montagne du Châtelet, et [se persuade que] si l'on y faisait des fouilles dirigées avec intelligence, on y recueillerait une ample collection d'antiques qui ferait époque et enrichirait l'histoire».

Grignon, pour la première fois, se livre à une fouille archéologique, précédée d'une prospection attentive, que l'on peut qualifier de moderne. Au printemps 1772, des sondages, vite fructueux, commencent. Le 17 juillet, l'Académie consent que Grignon vienne en personne lire un mémoire sur ses découvertes. «Il avait en même temps apporté une grande boîte remplie de différentes antiquités trouvées dans la Montagne du Châtelet», note le secrétaire de séance. L'Académie estime que «des fouilles plus étendues et plus profondes donneront des lumières sur cette place romaine qui n'est encore connue par aucun monument historique [aucun texte]». Grignon est le jour même nommé correspondant de l'Académie.

Au printemps 1773, Grignon entreprend des fouilles en grand, puis, grâce à un financement royal, étend son chantier en avril et mai 1774. Ses deux *Bulletins des fouilles* (1774 et 1775) nous apprennent qu'en trois campagnes de fouilles, il a remué des masses considérables de terre. Les observations et la méthode d'étude des vestiges et objets découverts sont à la mesure de l'esprit de la fouille.

Le génie de Grignon réside dans son sens de l'observation, et surtout dans sa façon de faire passer les faits avant les préjugés littéraires des antiquaires les plus savants pour lesquels les choses n'existent que si elles ont été auparavant écrites, attitude qui a gêné pendant longtemps l'archéologie. La méthode de Grignon se résume en une phrase : «Nous considérons les objets non seulement comme les antiquaires, mais aussi nous tournerons nos vues du côté de la chimie et de l'histoire naturelle.»

G rignon décrit ainsi la «Montagne du Châtelet» (carte en haut à gauche) avant ses fouilles : «Je remarquai que toute la surface était jonchée de pierrailles informes de différentes espèces, calcinées et rougies par le feu d'un incendie, de fragments de briques et de poteries [...]. Tous ces objets m'annonçaient un lieu jadis habité et détruit.» Durant les fouilles, de nombreuses maisons, avec leurs caves, sont dégagées (plan de fouilles en bas à gauche). Grignon distingue les simples caves de ce qu'il appelle des «édicules», aux murs plus soignés, ou peints à fresque, et surtout dans lesquels il a trouvé des statues ou des lampes. Il a ainsi découvert les petits sanctuaires domestiques souterrains caractéristiques de la Gaule romaine du centre et du Nord-Est. Grignon est particulièrement attentif au petit matériel archéologique, dont la céramique sigillée (ci-dessus).

La génération des recueils : Montfaucon, Caylus, La Sauvagère, Grivaud de la Vincelle

Depuis le XVIᵉ siècle, les meilleurs savants jugent nécessaire la confrontation des textes et des objets. Le XVIIIᵉ siècle voit la publication de recueils de monuments, enfin classés dans un ordre logique. Le siècle des lumières est celui de l'*Encyclopédie*, examinant, classant, critiquant.

Le premier grand recueil est l'œuvre d'un bénédictin de la grande école des Mauristes dont les travaux sont depuis le milieu du XVIᵉ siècle consacrés à l'étude des chartes médiévales. *L'Antiquité expliquée et représentée en figures* publiée par Montfaucon en 1719 est l'application de la méthode mauriste – la «diplomatique», ou confrontation des sources – aux monuments figurés. L'objectif de Montfaucon ne manque pas d'ambition : illustrer l'histoire par les monuments. Aussi le plan des dix volumes publiés n'est-il pas fondé sur la nature ou le genre des objets mais sur ce qu'ils représentent d'utile à l'histoire.

Les sept tomes du *Recueil d'antiquités* (1752-1767) du comte Anne Claude de Caylus, sont encore davantage centrés sur les objets, leur valeur historique mais aussi artistique. Grâce à son réseau d'informateurs, l'auteur est en outre plus précis que Montfaucon. Certes c'est un dilettante, mais sa désinvolture apparente ne doit pas abuser. Son scepticisme est de bon aloi. «L'antiquaire voyage constamment dans un pays fort éloigné ; il voit sans voir, du moins l'imperfection de son coup d'œil ou l'incertitude de son savoir ne lui présentent rien de fixe, et la quantité des objets l'offusque», avoue-t-il.

Félix Le Royer de La Sauvagère est un de ces ingénieurs (du génie militaire en l'occurrence) que Caylus encourageait à profiter

Comportant 1200 planches, tirées à 1800 exemplaires, *Les Antiquités expliquées* sont rééditées en 1722, augmentées de cinq nouveaux volumes en 1729. Même si les antiquités nationales représentent une faible partie des monuments figurés, puisés dans le monde gréco-romain au sens large, l'ouvrage constitue la première synthèse archéologique, à travers un classement thématique, sur la Gaule indépendante et romaine, les deux périodes n'étant cependant pas toujours bien distinguées. Montfaucon intègre dans son ouvrage les découvertes les plus récentes, comme celle des piliers des Nautes trouvés en 1710 sous le pavement de Notre-Dame de Paris.

de leurs différentes garnisons pour chercher des antiquités. En 1770, La Sauvagère publie son *Recueil d'antiquités dans les Gaules* qu'il présente comme pouvant «servir de suite aux Antiquités de feu M. le comte de Caylus». Les principales qualités de l'ouvrage dérivent de la formation de son auteur : «J'observe militairement ce qui a frappé ma curiosité.» Le meilleur chez lui ce sont les observations, quand il interroge les cultivateurs, sonde le sol, les relevés, les dessins.

Bon érudit aussi, ses *Recherches sur les ruines romaines de Saintes* comportent même, sous le titre de «nomenclature», la première bibliographie accompagnant un ouvrage sur les antiquités gallo-romaines. Il est en outre un des premiers à militer pour le patrimoine, pour «sauver des ravages du temps des restes d'antiquités». Il justifie même ainsi ses publications : «Ces ruines que l'on démolit journellement, ou qui périssent de vétusté, allaient peut-être tomber dans l'oubli. Le motif d'en conserver la mémoire a été le seul but que je me suis proposé.»

Grivaud de La Vincelle est lui aussi un continuateur de Caylus. Plus que ses prédécesseurs, il publie le petit matériel archéologique : céramiques, fibules, petits bronzes. Un signe de modernité. Mais tout encore est ramené à ce qui est connu. Une hache à rebords droits de l'âge du bronze, trouvée à Bordeaux, est ainsi attribuée aux Romains.

Si la publication du *Recueil de monuments antiques la plupart inédits et découverts dans l'ancienne Gaule* de Grivaud de La Vincelle date de 1817, son travail reflète encore les connaissances du XVIIIe siècle. Il publiera également, sous le titre *Arts et métiers des Anciens*, le «Musée» de Grignon, objets découverts au Châtelet, ainsi que les *Antiquités gauloises et romaines trouvées au Luxembourg*. Si les intailles (ci-dessus) ou les statuettes gallo-romaines (ci-contre) sont bien datées, les plaques de ceinture mérovingiennes (en haut, à gauche) sont attribuées aux Gaulois, la distinction entre arts «barbares» de différentes époques étant encore impossible à établir.

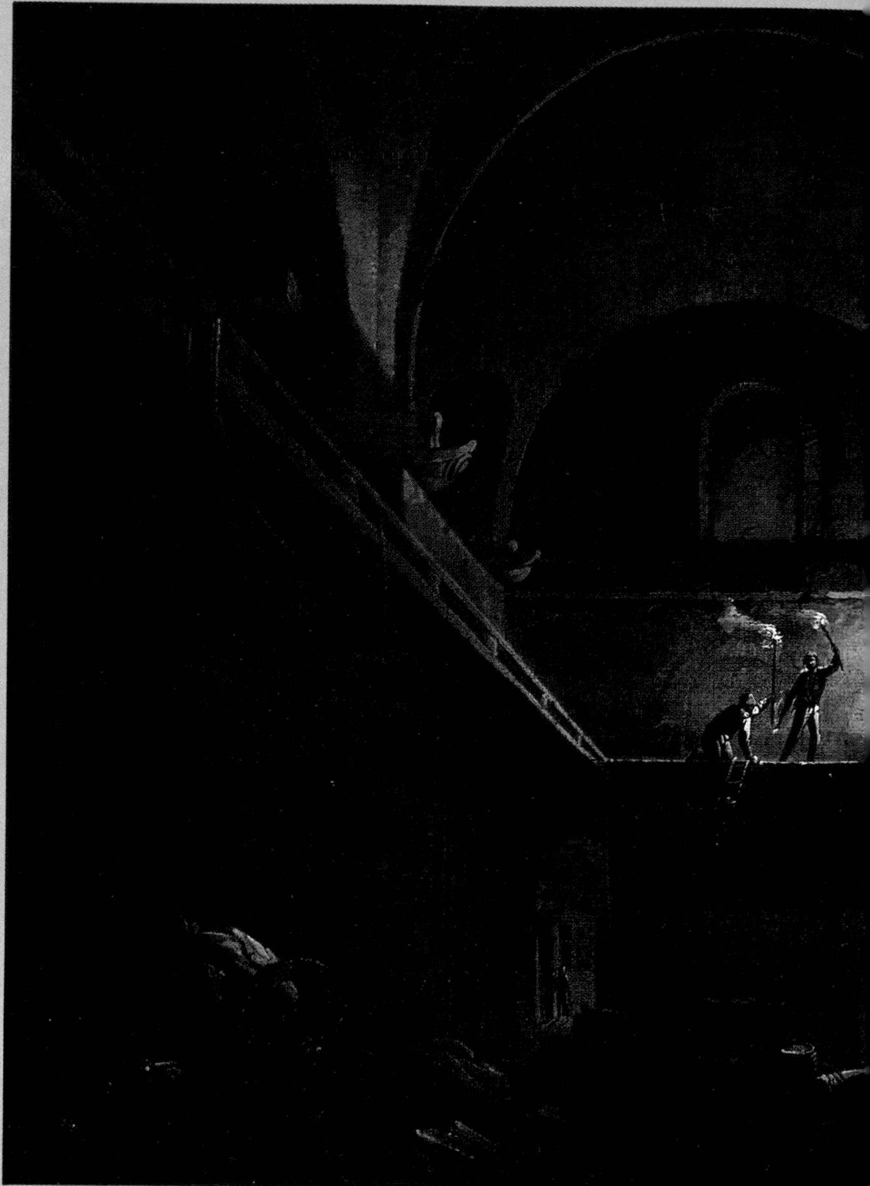

L'histoire des thermes de Cluny, à Paris (ici d'après Hubert Robert, à la fin du XVIIIe siècle), est exemplaire. Thermes romains abandonnés au Moyen Age, ils sont en partie détruits à la fin du XVe siècle pour construire l'hôtel de Cluny. Ce qui reste des ruines du «palais de Julien» sert alors de grange pour l'hôtel. Le siècle des lumières redécouvre le seul monument antique que Paris ait conservé, et songe à le restaurer. Mais c'est finalement la Révolution qui va réhabiliter les thermes. L'abbé Grégoire et Quatremère de Quincy réclament leur dégagement. Legrand, le collaborateur de Clérisseau, propose que, restaurés, ils abritent un musée lapidaire. Au début du XIXe siècle, l'architecte François Mazois en fouille le tepidarium. Grâce à Alexandre du Sommerard et à Albert Lenoir, au milieu du XIXe siècle, l'hôtel de Cluny est transformé en musée d'Histoire nationale, et les thermes abritent les fragments d'époque romaine. Dernier acte : le percement du boulevard Saint-Germain, sous le second Empire, entoure les thermes d'un jardin public.

« Depuis les Gaulois jusqu'à nos jours, des monuments de toute espèce ont couvert le sol de la France. Quelques-uns ont totalement disparu, d'autres, encore en grand nombre, restent debout ou nous sont signalés par leurs ruines. Ces monuments, qui révèlent à l'artiste les variations successives de l'art et du goût, peuvent aussi fournir à l'historien d'utiles indications sur l'état politique, intellectuel, moral et industriel de l'époque. »

François Guizot, 1837

CHAPITRE III
LES MONUMENTS DE L'HISTOIRE

Au début du XIXe siècle, la notion de monument a un double sens : monument comme architecture – les vestiges romains –, monument comme mémoire – les mégalithes, susceptibles de faire revivre l'histoire des Gaulois.

«Je vais proposer d'ouvrir les tombeaux»

C'est par cette phrase à l'accent révolutionnaire que Legrand d'Aussy, membre de l'Académie des sciences morales et politiques, termine l'introduction au discours sur les «anciennes sépultures nationales» qu'il lit le 7 ventôse an VII (1799). Il ne s'agit évidemment pas de les profaner, mais d'y découvrir des témoignages historiques puisque les superstitions passées y ont accumulé des richesses.

La Révolution, balayant un passé monarchique et religieux, s'est trouvée responsable des monuments que ce passé a édifiés. Ces derniers deviennent patrimoine de la nation et peuvent alors être regardés avec un recul historique nouveau. Les monuments attribués aux Gaulois se retrouvent chargés d'une valeur nationale particulière, et prennent une place plus équilibrée face aux édifices romains que certains jugent étrangers à la Gaule.

Par leur forte présence dans le paysage, les tumulus ont toujours intrigué. Leur forme conique a rapidement suggéré qu'il s'agissait de tombeaux. Mais, comment les dater, et surtout comment ne pas supposer que sous leur tertre étaient ensevelis des mortels hors du commun, des princes, des chefs, des guerriers? Une concentration de tumulus indique certainement l'emplacement d'un ancien champ de bataille. La présence de tumulus amène donc à en rechercher la mention dans les textes, comme on le fit pour ceux des Chaumes-d'Auvenay (en Bourgogne).

L'ouverture des tombeaux, pour Legrand d'Aussy, est bien dans cette nouvelle manière de conduire la recherche des antiquités : «Ce ne sont pas les minéralogistes seulement qui ont intérêt à ouvrir et à fouiller la terre, pour y chercher ce qui peut accroître leurs connaissances et enrichir leurs collections : souvent aussi l'archéologie et l'histoire y trouvent des faits à observer, et des antiquités à recueillir.» Avant lui, seul Grignon avait tenu ce discours instaurateur des fouilles volontaires.

Legrand d'Aussy est également celui qui, le premier, propose un classement chronologique des sépultures anciennes en six périodes. La première est l'«âge primitif du feu», correspondant aux dolmens, que Legrand d'Aussy appelle *dolmin* en empruntant

Les «tombes» de légionnaires romains trouvées en Alsace au début du XVIIIᵉ siècle constituent une des découvertes les plus originales rapportées par Schoepflin dans son *Alsatia illustrata* (1751), une des premières synthèses archéologiques régionales. Ces curieuses tombes sont couvertes de tuiles fabriquées et marquées par les différentes légions romaines ayant stationné en Alsace.

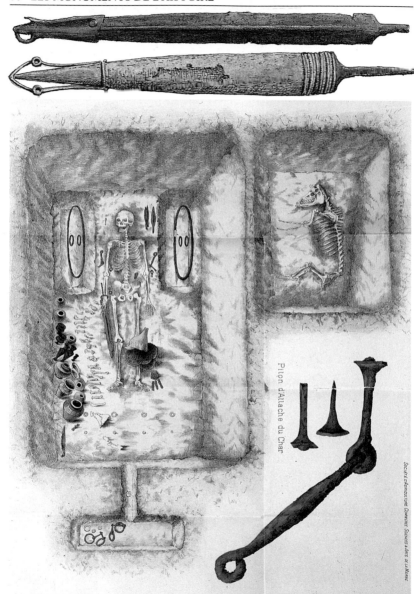

Piton d'Attache du Char

Coupe suivant **A B**

Le tumulus, qu'il soit conservé dans son élévation ou arasé, est une mine archéologique à ciel ouvert. Combien ont été explorés sans que rien ne soit observé de leur structure? Le tumulus en soi ne compte pas. Il est fouillé le plus souvent sans soin, car c'est la sépulture qui retient surtout l'attention, d'abord par son mobilier, dans les meilleurs cas dans ses dispositions rituelles. Les tombes dites «à char», explorées dans l'est de la France (tombe de Châlons-sur-Marne, page de gauche), sont une aubaine pour le fouilleur. Le squelette du prince guerrier est couché dans ce qui reste de son char, identifiable aux cerceaux métalliques des deux roues. Ses armes l'entourent, des bijoux et des vases aussi. Son cheval peut trouver place dans une fosse voisine. Tout guerrier de l'âge du fer (tombe de Bucy-le-Château, ci-contre) se fait enterrer avec son épée et ses objets les plus précieux.

leur nom breton, comme il donne le nom d'*armen-ir* aux pierres levées. Les Gaulois, croit-il, étaient incinérés avant que leurs cendres soient déposées sous les pierres. Puis vient l'«âge des collines», c'est-à-dire des tumulus. Avec le «second âge des collines», seul change le fait que les corps ne sont plus brûlés. Le quatrième âge est celui du «renouvellement des bûchers»; il est censé recouvrir la fin de l'époque gauloise, la domination romaine n'étant pas prise en compte. Le cinquième âge est celui des «sarcophages individuels», après l'apparition du christianisme, et le sixième celui des «mausolées», commençant au XIIe siècle.

Malgré ses imperfections, naturellement dues à la rareté

Louis-Aubin Millin, archéologue, est un homme de cabinet (conservateur du cabinet des Médailles, en l'occurrence), mais aussi homme de terrain. Dans son *Voyage dans les départements du midi de la France*, il passe évidemment par Cussy.

des découvertes et donc à l'impossibilité d'établir des comparaisons, malgré l'attribution des sépultures sous dolmen aux Gaulois, que l'on croyait alors être les premiers habitants de la France, la classification de Legrand d'Aussy tire les conséquences des notions d'évolution, de progrès mises en évidence par les encyclopédistes.

Monument figuré bien conservé, la colonne de Cussy attire antiquaires et artistes. Mais que fait une colonne au socle historié de dieux païens dans la campagne bourguignonne ? Les tumulus des Chaumes-d'Auvenay étant voisins, ne s'agirait-il pas d'un monument commémoratif de la victoire de César contre les Helvètes ?

Des voyages pittoresques à l'archéologie

Depuis la fin du XVIIIe siècle, la mode est aux «voyages pittoresques», publications luxueuses regroupant des commentaires, plus ou moins de première main, sur des monuments ou des paysages et des gravures d'après des dessins d'artistes payés pour voyager à cet effet.

Il en existe pour Naples et la Sicile – par l'abbé Richard de Saint-Non –, pour la Grèce – par le comte de Choiseul-Gouffier –, pour l'Espagne, la Suisse, etc. Pour la France, le prototype est certainement la *Description générale et particulière de la France* publiée par Jean-Benjamin de Laborde, Edme Béguillet, Jean-Etienne Guettard en 1781-1784. Le *Voyage dans les départements du midi de la France* (1807-1811) de Louis-Aubin Millin se consacre plus exclusivement aux antiquités nationales. Millin avait publié en l'an IV (1796) une *Introduction à l'étude des monuments antiques* dans la revue qu'il dirige – *Le Magasin encyclopédique* –, la première qui accorde une place importante aux antiquités nationales. Il y tente notamment une classification des genres d'archéologie.

La colonne de Cussy (Côte-d'Or) est présente dans tous les voyages pittoresques qui traversent la Bourgogne, dans les gravures de Jean-Baptiste Lallemand, comme dans celles publiées par Alexandre de Laborde dans *Les Monuments de la France* (ci-contre). Si, par la précision des représentations, l'apport des belles planches de Laborde est d'abord archéologique, la manière dont les ruines sont montrées dans leur environnement, urbain ou rural, fait qu'elles prennent valeur de paysages. Les gravures sont une invitation au voyage, à la découverte des paysages pittoresques. Un autre rapport aux antiquités en découle.

Mais les voyages pittoresques ce sont surtout de belles gravures. Dans ce domaine, le chef-d'œuvre est incontestablement *Les Monuments de la France classés chronologiquement et considérés sous le rapport des faits historiques et de l'étude de l'art* publié en 1816 par Alexandre de Laborde. Une autre archéologie naît avec le romantisme : désormais, les antiquités sont source non seulement de connaissances mais aussi de plaisirs esthétiques.

Enquêtes et inventaires

Le voyage, pris comme exploration systématique du territoire, peut devenir répertoire. Le début du XIXe siècle, épris de statistique, va découvrir les vertus de l'inventaire.

En 1810, le ministre de l'intérieur Jean-Pierre de Montalivet a envoyé aux préfets un questionnaire sur les monuments et les anciens châteaux existant dans leur département. Cette circulaire, inspirée par de Laborde est censée être la première enquête sur les monuments antiques. En fait, dès 1769, l'Académie d'architecture avait prescrit dans son règlement que ses correspondants devaient «faire et envoyer des dessins des monuments anciens» de leur région. En 1824, c'est l'Académie des inscriptions et belles-lettres qui envoie des instructions à ses correspondants afin qu'ils enquêtent sur les

Charles-Louis Clérisseau, architecte, avait un grand projet : publier les *Antiquités de la France*. Seul le premier volume, *Monuments de Nîmes*, paraît en 1781. Les dessins gravés de Clérisseau sont accompagnés des commentaires savants de Jacques-Germain Legrand, architecte lui aussi.

tumulus, fouillés ou non, et qu'ils dessinent les constructions antiques inconnues.

La création du Comité historique des arts et monuments en 1834 va déboucher, en 1837, sur les célèbres «Instructions» rédigées par l'architecte Albert Lenoir, l'archéologue Charles Lenormant et l'inspecteur du Comité, Prosper Mérimée. Ces «Instructions» représentent certes un état des connaissances de l'archéologie française sur la période allant des Gaulois aux Gothiques, mais surtout détaillent les méthodes d'investigations proposées aux correspondants du ministère de l'instruction publique «pour les travaux relatifs à l'histoire de France». Dans la «Lettre du Ministre», François Guizot, qui introduit les «Instructions», l'archéologie y est clairement désignée comme science auxiliaire de l'histoire. Le plan de Guizot qui vise à dresser une carte monumentale de la France est cependant chimérique, car l'Etat, pour ce beau projet, s'en remet au réseau des amateurs.

Probablement antérieure à la construction de l'enceinte du Bas-Empire, la porte romaine de Langres y a été finalement intégrée. Son aspect pittoresque, au début du XIXe siècle, s'est quelque peu perdu dans la restauration entreprise un siècle plus tard.

Arcisse de Caumont et la découverte des villas rurales

Le Normand Arcisse de Caumont est la personnalité dominante de l'archéologie nationale sous la Restauration et la monarchie de Juillet. Mais, dans son *Cours d'antiquités monumentales professé à Caen* (1830-1838), de Caumont brille surtout dans l'étude des monuments médiévaux et romains. Pour l'Antiquité celtique, il est encore sur les positions

« Je crois être le premier qui ait essayé de comparer les uns aux autres un certain nombre de plans de villas », écrit fièrement Arcisse de Caumont. Et de remarquer qu'ils sont tous construits sur le même « patron ».

des celtomanes du XVIIIe siècle comme La Tour d'Auvergne. Pour lui, les instruments de pierre taillée sont des armes gauloises, comme les haches en bronze (de l'âge du bronze), dont il croit même qu'elles ont encore servi à l'époque romaine, comme il croit que les dolmens sont des autels druidiques. Pour des raisons peut-être idéologiques, il ne retient pas la classification et la chronologie de Legrand d'Aussy marquées, il est vrai, par le passé de révolutionnaire de leur auteur.

L'apport fondamental d'Arcisse de Caumont à l'archéologie antique

Les villas gallo-romaines comptent parmi les vestiges enfouis qui sont le plus fréquemment révélés par les photographies aériennes, particulièrement dans les grandes plaines céréalières, comme celles de Picardie.

est ailleurs. Il a découvert la vraie nature des ruines romaines dispersées dans les campagnes : des villas. De Caumont tire l'essentiel de sa découverte de l'examen des fouilles récentes, en Normandie – Hérouville –, en Bretagne – Pérennou –, mais aussi en Angleterre – Woodchester –, et plus largement de l'archéologie anglaise.

La vision des campagnes gallo-romaines qui se dégage de ces travaux est toute nouvelle. Rappelons ce qu'écrivait Guizot en 1828 : «Il n'y

Plan visuel de la Villa de Thésée.

Fig 3

Arcisse de Caumont, malgré sa bonne connaissance des villas gallo-romaines, a pu se laisser abuser. Ainsi, il a pris pour une villa rurale les vestiges de Thésée dans le Loir-et-Cher (ci-dessus et ci-dessous), dont on suppose aujourd'hui qu'ils sont plutôt ceux d'un relais routier avec ses entrepôts. En l'absence de fouilles, il était alors difficile de préciser la destination de vestiges à peine visibles. Seules les fouilles modernes ont révélé que les ruines du Vieil Evreux (Eure), connues depuis le XVIIIe siècle, étaient celles d'un vaste sanctuaire (ci-contre).

avait point de campagnes; elles étaient cultivées, il le fallait, elles n'étaient pas peuplées. Les propriétaires des campagnes étaient les habitants des villes.»

Deux ans plus tard, de Caumont déclare : «Ainsi j'ai tiré de mes explorations dans le Calvados des indications concernant l'état de ce pays durant l'époque gallo-romaine et j'ai pu reconnaître que les campagnes étaient à cette époque les régions les plus habitées.»

L'amphitéatre D'Arles Comme Il Est A Present. 1686

Le patrimoine national

Les monuments «historiques» ne peuvent plus être laissés dans l'état où ils sont le plus souvent : en ruine, partiellement enfouis, occupés par des constructions postérieures. Mais les réutilisations spontanées des monuments antiques, qui les ont modifiés, masqués, parfois dégradés, les ont aussi partiellement conservés. Cette vérité complexe peut être vue sous deux angles : celui de la modification ou celui de la conservation. Jusqu'au XVIIIe siècle, le premier a généralement prévalu; à la fin du siècle, le regard s'inverse.

Dès le Bas-Empire ou le Moyen Age, les monuments antiques, après une période plus ou moins longue d'abandon, sont employés comme carrières ou réutilisés : amphithéâtres en forteresses, temples en églises. Ces réutilisations, qui s'expliquent d'abord par l'économie qu'elles représentent, s'accompagnent du réemploi de fragments d'architecture ou de stèles funéraires dans les constructions nouvelles, enceintes du Bas-Empire

Le théâtre et l'amphithéâtre d'Arles ont été tous deux intégrés dans les fortifications de la ville, au Bas-Empire ou au Moyen Age. Les trois tours que l'on voit sur l'amphithéâtre (ci-dessus, vue cavalière de Jacques Peytret, au XVIIe siècle) défendaient une sorte de quartier fortifié. L'enceinte de la ville était venue s'appuyer sur le théâtre, transformant une travée d'arcades en tour, dite de Rolland. Au XVIIIe siècle (gravure ci-contre), des habitations en occupaient encore les vestiges.

ou églises surtout. Ces réemplois pratiques sont aussi quelquefois symboliques, alors comparables aux citations littéraires, le bas-relief antique jouant le même rôle dans une façade qu'une citation latine dans un texte.

«Et nous accusons les Turcs d'ignorance! Et nous appelons barbares les musulmans parce qu'ils détruisirent les édifices antiques pour bâtir leurs mosquées!»

C'est par cette phrase définitive que Millin s'exprime en découvrant l'amphithéâtre d'Autun, ruiné et

Quand, en 1823, le dégagement du théâtre d'Arles est entrepris, il est demandé à l'architecte Penchaud de fixer ses tranchées sur la scène où ont été trouvées tant de statues dont celle de la Vénus célèbre. Mais quand, en 1833-1836, la direction des travaux est confiée à A. Caristie, pourtant architecte lui aussi, la perspective change.

occupé par des masures. Mais, au XVIIᵉ siècle, destructions ou réutilisations ne choquaient encore personne. Joseph Guis note en 1665 à propos de l'amphithéâtre d'Arles : «J'avoue que ces arènes sont présentement remplies de plusieurs maisons particulières qui leur ont ravi une partie de leur ancienne majesté. Mais il faut en attribuer la cause à la nécessité des temps, qui a souvent obligé Messieurs les Consuls de permettre que l'on y bâtît.»

Puis le langage change radicalement. Ce que beaucoup ne supportent plus, c'est ce mélange de l'antique et du moderne,

Caristie décide de diriger ses fouilles vers les gradins afin de découvrir le plan de l'édifice. Sa démarche est mal perçue par les antiquaires locaux : «Les nouvelles fouilles n'ont pas enrichi le musée d'Arles, elles n'ont pas donné à la science ce qu'elle aurait pu en espérer», écrit l'un d'entre eux!

d'un moderne qui dérobe l'antique à l'admiration des amateurs, qui l'a dégradé, et qui surtout témoigne de temps barbares qu'il faut oublier. Cette attitude est à replacer dans les préoccupations hygiénistes de l'époque. Depuis le milieu du XVIIIe siècle, les théoriciens, architectes, ingénieurs, médecins pensent que l'amélioration de la ville passe par la salubrité de l'air, qui dépend elle-même de sa circulation. Toute destruction de bâtiments, qui permet à l'air de mieux circuler, est donc la bienvenue. Dès lors, il faut impérativement séparer l'antique du moderne, le dégager de sa gangue.

Impérieux dégagements

L'idée de dégager un monument antique des constructions postérieures jugées parasites, de le mettre en valeur, remonte à la Renaissance. Combien de projets les historiens d'autrefois n'ont-ils pas prêté à François Ier, Henri IV ou Louis XIV? Celui, entre autres, de faire restaurer les arènes d'Arles ou celles de Nîmes pour qu'une statue équestre trône en leur centre, comme au milieu d'une place royale? Discours gratuits de glorification du monarque, sans doute.

Mais le dégagement d'une ruine antique comme restauration, comme embellissement urbain, est tout de même advenu plus précocement que l'on pouvait s'y attendre. C'est en effet en 1786, avant l'émergence de la notion de monument historique sous la Révolution, que la décision fut prise de dégager l'amphithéâtre de Nîmes. De nombreux documents attestent même qu'à partir du début du XVIIe siècle la Ville a régulièrement fait opérer des réparations ponctuelles sur le monument. Au milieu du XVIIIe siècle, quelques maisons empêchant d'en faire le tour sont rasées. En 1781, une maison masquant la porte septentrionale, celle dont les ornements sont les mieux conservés, est démolie. Ce n'est donc pas tout à fait une surprise si, en 1785, les consuls persuadent l'évêque qu'il faut «mettre l'amphithéâtre dans sa splendeur naturelle». L'année suivante, le roi

Les deux plans (ci-dessus) montrent deux états de l'occupation des arènes de Nîmes par un quartier d'habitations et du dégagement de l'amphithéâtre. Ce sont d'abord les maisons situées dans l'arène même qui ont été détruites pour finalement laisser voir la piste et les gradins (ci-contre, à droite). Le dégagement de l'amphithéâtre de Nîmes a préludé à sa réutilisation comme lieu de spectacle. Aujourd'hui, des courses de taureaux s'y déroulent régulièrement, qui renouent en quelque sorte avec les jeux de l'Antiquité.

ordonne le déblaiement des arènes en
accord avec la Ville et les Etats du
Languedoc. Mais la splendeur n'est pas
seule en cause. Un rapport aux consuls
datant de 1785 révèle que «plus de cent
familles habitent les voûtes
souterraines de l'édifice», que la
population «extrêmement pauvre,
nombreuse pour un si petit espace,
[est] difficile à surveiller par une police exacte».
Voilà d'autres bonnes raisons de dégager les arènes.
Quand la Révolution éclate, les travaux sont bien
avancés : trente-neuf maisons ont été démolies.
Les travaux de dégagement reprennent en 1808,
et des restaurations commencent, sous la direction
de Grangent et sous le contrôle du Conseil des
bâtiments civils à Paris. L'essentiel des travaux est
terminé avant la chute de l'Empire.

Après que les arènes
de Nîmes eurent
été dégagées, il a fallu
songer à les restaurer.
Un débat s'engagea,
pour plusieurs
décennies, entre ceux
qui voulaient se
contenter de consolider
et ceux qui voulaient
reconstituer les parties
manquantes. Chaque
monument pose des
problèmes spécifiques.
Pour l'amphithéâtre de
Nîmes, restauré au fur
et à mesure de son
dégagement, c'est la
tendance de l'ingénieur
Grangent à rajouter des
modénatures qui fut
combattue par le
conseil. Pour renforcer
des linteaux affaiblis,
Grangent proposa de
construire des arcs-
doubleaux dans le goût
romain. Petit-Radel,
qui avait inspecté les
travaux de Nîmes en
1805, pensait que tenir
en sous-œuvre les
linteaux brisés par des
armatures en fer
suffirait, et aurait
l'avantage de ne pas
«détruire la beauté et
le caractère primitif
des Arènes».

Dégager, mais aussi restaurer

Les restaurations constituent la suite logique des dégagements. En effet, une fois les constructions parasites détruites, une fois le monument dégagé et isolé, les dégradations n'apparaissent que mieux, ou du moins sont davantage ressenties comme insupportables. S'il existe bien, depuis le XVIe siècle, des cas d'entretien de monuments antiques, en ce début de XIXe siècle, qui pratique le néoclassicisme et découvre son patrimoine, la restauration ne peut que se concevoir en des termes nouveaux. Il ne s'agit plus d'entretien mais de rétablissement dans l'antique splendeur, de restitution de l'état initial.

Pour les architectes chargés des restaurations, la référence est constituée par les restitutions – appelées

A u XIXe siècle, le relevé des vestiges antiques prend un caractère plus archéologique. Des architectes, tel Auguste Caristie, un des premiers membres de la commission des Monuments historiques, prennent une grande part dans cette entreprise (relevé du théâtre d'Arles, à gauche). Le relevé peut servir de support à une restitution graphique, qui à son tour peut guider un projet concret de restauration.

significativement «restaurations» – envoyées de
Rome par les pensionnaires de l'académie de France.
Pour eux, la restauration concrète doit être précédée
d'une étude de l'état actuel du monument mais aussi
d'une restitution graphique.

Les considérations économiques de l'organisme
alors en charge de ce problème, le Conseil des
bâtiments civils, vont cependant moduler cette
démarche. Pour le Conseil, il s'agit en priorité de
préserver en consolidant, de ne pas détruire sous
prétexte d'adaptation à de nouvelles affectations et
aussi de ne pas inventer des décorations inutiles.
Mais ce que veut d'abord le Conseil, c'est contrôler.
Ainsi, en 1806, les habitants de Nîmes projettent
d'élever une colonne en l'honneur de l'empereur
constituée de fragments d'architecture antiques
arrachés à différents vestiges et même déterrés par
des fouilles à entreprendre à cet effet,
à leurs frais. L'architecte responsable
des monuments anciens au sein du
Conseil, Louis-François Petit-Radel,
s'étonne d'une «pareille barbarie».
Il en conclut que le ministre de
l'intérieur devrait veiller à ce que
des monuments antiques ne soient
pas dénaturés «sur la première idée,
souvent extravagante d'un zélé
citoyen». Il demande que le Conseil
soit averti de tout projet d'«innover
dans aucun monument».

Sous la Restauration et
la monarchie de Juillet,

Au XIXᵉ siècle,
la tour Magne
(à Nîmes) servit de
support à un sémaphore
du télégraphe. Frédéric
Mistral se plaisait à y
voir un phare. Elle n'est
cependant qu'une tour,
plus forte que d'autres,
de l'enceinte antique
de la ville.

Jusqu'au début du XIXᵉ siècle, la scène et les gradins du théâtre d'Orange ont été occupés par de pauvres habitations. Ce phénomène suscite, à cette époque encore, diverses attitudes. En 1815, de Gasparin, homme politique en vue, écrit : «Amis des arts, laissez libre cours à votre indignation, mais n'oubliez pas que ces maisons de l'indigence ont sauvé ces débris précieux de leur destruction totale.» Il est alors un des derniers à ne pas être aveuglé par son indignation. Pour le même monument, et quelques années plus tard seulement, un juriste local déclare qu'il faut exproprier les habitants, qualifiés d'«usurpateurs», qui l'ont souillé «comme les rats et les oiseaux de proie». C'est alors l'opinion générale. En 1807, Millin qualifie ces mêmes maisons de «dégoûtantes masures». Le théâtre d'Orange (ci-contre avant dégagement) a été déblayé et restauré par les architectes Caristie, Renaux et Constant-Dufeux, entre 1835 et 1856.

des restaurations moins utilitaires que celles prônées sous l'Empire seront entreprises, particulièrement celle des arcs de triomphe. Entre 1820 et 1826, les architectes Denis-Philibert Lapret, puis Pierre Marnotte abattent la tour médiévale qui surmontait la Porte noire à Besançon, ouvrent l'arc partiellement obstrué et reconstituent certaines parties manquantes. Déjà, la question est posée : où est la limite entre restauration et reconstruction quand la décoration du monument est très dégradée et qu'il est décidé de la rétablir ?

La celtomanie : une mauvaise bonne idée

La celtomanie qui se développe à partir de la fin du XVIIIe siècle et qui culmine au cours du XIXe siècle est fondée sur deux obsessions : voir des Gaulois partout, leur prêter toutes les vertus possibles. Elle nie les textes latins qui rapportent les sacrifices humains opérés par les druides, loue non seulement la bravoure des Gaulois – attestée par César lui-même – mais aussi leur culture.

Même si les archéologues soupçonnaient depuis longtemps que les mégalithes étaient antérieurs aux Celtes, la croyance populaire rattachait les menhirs aux Gaulois. Il était si tentant de faire des menhirs les tombeaux des fiers cavaliers de la Gaule indépendante !

En 1738, la découverte à Nîmes d'un lieu de culte consacré à Nemausus, à proximité du «temple de Diane», n'avait pas empêché l'aménagement d'un jardin – le «jardin de la Fontaine» – conçu par l'ingénieur Mareschal. Ce projet avait été sévèrement critiqué par le grand archéologue et historien d'art Winckelmann dans ses *Lettres familières* : «Oh barbarie! On a détruit ces restes précieux, on a renversé avec de la poudre ces masses anciennes que le temps avait respectées; et pourquoi ? Pour les revêtir à la française : la fureur de détruire l'emporte encore sur celle de faire de nouvelles constructions. Nation frivole!» Le relevé archéologique des vestiges (ci-contre) ne fut exécuté qu'un siècle et demi plus tard.

Deux théories fondent la celtomanie telle que l'exprime Jacques Cambry dans ses *Monuments celtiques, ou recherches sur le culte des pierres* publiés en l'an XIII. D'une part, les Celtes sont, avec les Chinois et les Egyptiens, le plus vieux peuple de la Terre et sont à l'origine du monothéisme. D'autre part, la langue celtique, conservée dans toute sa pureté dans le breton armoricain contemporain, est à l'origine de toutes les langues occidentales. Malheureusement pour les celtomanes, cette antériorité rappelle les divagations du XVIᵉ siècle sur les descendants de Noé. Un point plus concret de leurs théories – qui n'est pas de leur invention mais tout aussi erroné – aura plus de succès : associer aux Gaulois les menhirs et les dolmens, faire de ces derniers des autels druidiques.

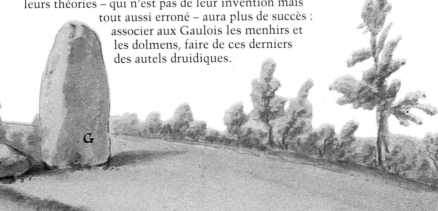

Malgré les fantaisies qu'elle a véhiculées, la celtomanie posait, sans avoir les moyens critiques d'y répondre, une question intéressante : est-il possible de rattacher les vestiges légués par le passé, et mis au jour, à des cultures ou à des peuples connus ? Comme parmi les anciens habitants de la France seuls les Gaulois étaient connus – par les textes latins –, il était bien tentant de tout leur attribuer.

De l'Académie celtique à la Société des antiquaires de France

La celtomanie a constitué une puissante motivation pour les amateurs. Elle est de toute évidence à l'origine de la première société savante, l'Académie celtique, fondée en 1805, sous les auspices de Napoléon et de Marie-Louise.

L'Académie se donne pour but d'étudier les antiquités – monuments et usages – de la Gaule, autres que romaines, précédemment négligées. Ses mémoires portent un sous-titre révélateur : *Recherches sur les Antiquités Celtiques, Gauloises et Françaises*. On aura remarqué au passage la distinction entre les époques celtique et gauloise, la première étant la plus ancienne. Cette distinction a naturellement échappé aux critiques de la celtomanie. Elle indique pourtant que pour eux les «monuments celtiques» – menhirs et dolmens – sont antérieurs aux Gaulois historiques, ceux qu'a connus César.

L'Académie a ses celtomanes purs, comme Cambry, mais compte aussi les grands archéologues du moment – Millin ou Lenoir, fondateur du musée des Monuments français –, des savants, des hommes de lettres, des artistes, des architectes. Dans la cohorte des membres non résidents ou associés-correspondants figurent en première ligne les ingénieurs des Ponts et Chaussées, puis les notables de province, préfets, officiers, juges, députés, maires, médecins, professeurs, curés, imprimeurs..., principaux artisans de l'archéologie française jusqu'à une date récente.

La celtomanie archéologique a-t-elle eu un volet politique ? Cambry développe évidemment un discours nationaliste, révolutionnaire : pourquoi, le peuple gaulois étant «le plus généreux et le plus juste» de tous, «par défaut d'esprit national, les Français rejettent-ils et combattent-ils tout ce qu'on rapporte en faveur de leurs ancêtres»? Face aux monarchistes surtout, qui veulent fonder leurs privilèges sur leurs ascendants francs, les héros du tiers état, comme l'abbé Sieyès, exaltent les Gaulois. Mais la littérature consacrée aux Gaulois ou à Vercingétorix est marginale, quelquefois contestataire, rarement un appui pour le pouvoir en place. Bonaparte, en pleine celtomanie, se réfère plus naturellement aux légions romaines.

SEPVLTVRE
DE LA MOTTE S.T VALENTIN

En 1880, Henry Millon, juge au tribunal de Langres, découvre dans le tumulus de la Motte Saint-Valentin (Courcelles-en-Montagne, Haute-Marne) un superbe vase de bronze.

Vercingétorix, premier héros national

Napoléon III préfère César à Vercingétorix. Les savants – quelles que soient leurs opinions politiques – étudient les Grecs ou les Romains plus que les Gaulois. S'ils sont libéraux, ils mettent la démocratie des Grecs au-dessus de la barbarie des Gaulois; s'ils sont conservateurs, l'ordre romain au-dessus de l'anarchie gauloise. L'archéologie préromaine est uniquement abordée par des amateurs, jusqu'à la fin du XIXᵉ siècle. Il est vrai que Vercingétorix est un vaincu, et que s'en réclamer aurait été, pour Napoléon III par exemple, singulièrement prémonitoire. Si certains républicains se reconnaissent dans Vercingétorix, c'est plus dans le héros de Gergovie que dans la victime d'Alésia. De Vercingétorix, Camille Jullian écrira, en 1901 : «C'est bien par ce mot de patrie gauloise qu'il faut résumer sa rapide existence, son caractère, ses espérances, son œuvre. S'il a combattu, s'il est mort, c'est uniquement par amour pour cette patrie.»

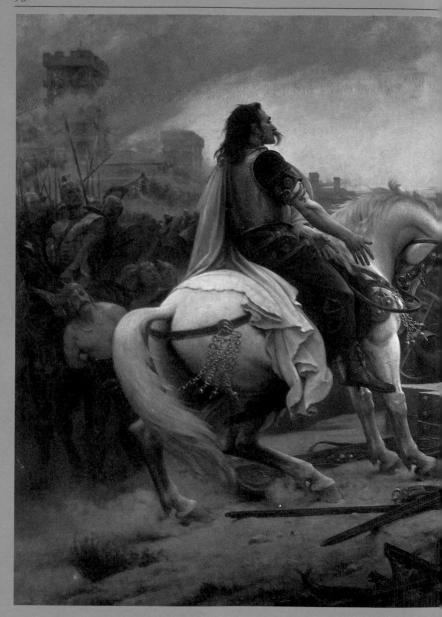

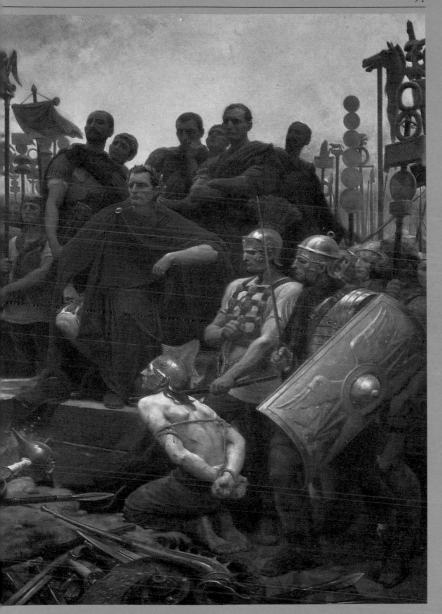

Mis à part sa fascination pour les monuments celtiques et pour un folklore druidique, qui fait aujourd'hui sourire, l'Académie situe son travail dans la mouvance de l'archéologie scientifique de l'époque : son premier manifeste s'appelle «Série de questions», et incite ses membres à entreprendre des enquêtes.

En 1815, l'Académie celtique devient la Société royale des antiquaires de France. Le meilleur et le pire continuent à se côtoyer dans les mémoires. Telle est la rançon de l'amateurisme. Menhirs et dolmens sont pourchassés dans tous les départements. La Société reprend les vieux thèmes de l'ancienne Académie des inscriptions et belles-lettres : les «camps de César», la topographie de la Gaule. Cependant, ce ne sont plus des antiquaires qui dissertent, mais des notaires ou des médecins de campagne. Il y a foisonnement puisque le réseau des chercheurs s'est démultiplié, mais aussi régression souvent. Agedincum, par exemple, ne serait plus Sens, comme chacun le croyait – à juste titre – depuis le XVIᵉ siècle, mais Provins. L'esprit de clocher triomphe.

Au cours du XIXᵉ siècle, l'organisation de la recherche progresse avec la multiplication des sociétés savantes, des musées archéologiques. Elle culmine sous le second Empire avec la création de la Commission de topographie des Gaules en 1858.

Napoléon III à Alésia

Des fouilles entreprises à l'initiative de Napoléon III, la postérité a surtout retenu celles d'Alésia. Et pour cause! Quand elles commencent, en 1861, la

Que l'archéologue Mongez, membre de l'Académie des inscriptions et belles-lettres, se soit beaucoup trompé ne doit pas le rejeter dans l'oubli. Les historiens des idées et des sciences savent depuis longtemps que l'erreur est recherche : Baltrusaïtis parlait de «connaissance erronée».

Jacques Cambry connaît bien les recherches anciennes de Caylus ou de Robien comme les fouilles récentes de dolmens ou de tumulus. Il a ainsi les moyens de reconnaître que les alignements de Carnac sont antérieurs aux Gaulois, mais il préfère rêver.

conviction qu'Alésia était à Alise-Sainte-Reine, conviction répandue depuis le XVIᵉ siècle, vient d'être ébranléc. Qui a bien pu jeter le doute dans les esprits ? Un amateur évidemment, puisque le siècle leur appartient. Il est architecte de la ville de Besançon,

Le préfet Cambry assiste à une fouille «officielle» à Vendeuil-Caply, dans l'Oise.

président de la Société d'émulation du Doubs, il se nomme Alphonse Delacroix. Au cours de promenades dans le Jura, il découvre Alaise, et déduit de la présence de quelques terres et de l'étude du site qu'il s'agit de l'Alésia décrite par César. Sans qu'il s'en doute, le petit livre qu'il publie en 1856 sous le titre *Alésia* fera l'effet d'une bombe.

Des publications et des théories du genre de celle de Delacroix, le dix-neuvième siècle en a beaucoup produites. Le fantasme de l'architecte aurait pu ne pas franchir le cercle étroit du Doubs. Seulement voilà, un grand historien et archiviste, le médiéviste Jules Quicherat, a pris le parti d'Alaise, suivi par Ernest Desjardins, le meilleur spécialiste de l'époque de la géographie de la Gaule. Les arguments de Quicherat sont courts. Pour lui, il s'agit surtout, on ne sait pourquoi, de trouver une alternative à Alise-Sainte-Reine. «Pour attaquer la solution reçue, il fallait en avoir une autre à proposer à la place. Eh bien! cette solution de rechange, nous la possédons aujourd'hui.

En pleine Franche-Comté, au milieu d'un chaos d'escarpements, de promontoires,

La principale œuvre littéraire inspirée des Celtes est, au début du XIXᵉ siècle, le poème d'Ossian de l'Anglais Macpherson. Le peintre Girodet-Trioson s'en est souvent inspiré (ci-dessus, le songe de Connal).

Le débat des savants sur l'emplacement d'Alésia a été relayé par les artistes. Certains ont pris parti pour Alaise, et c'est alors là qu'ils situent la résistance héroïque des guerriers de Vercingétorix à l'agresseur romain. Ci-contre, le tableau de François Ehrman *Vercingétorix à Alaise.*

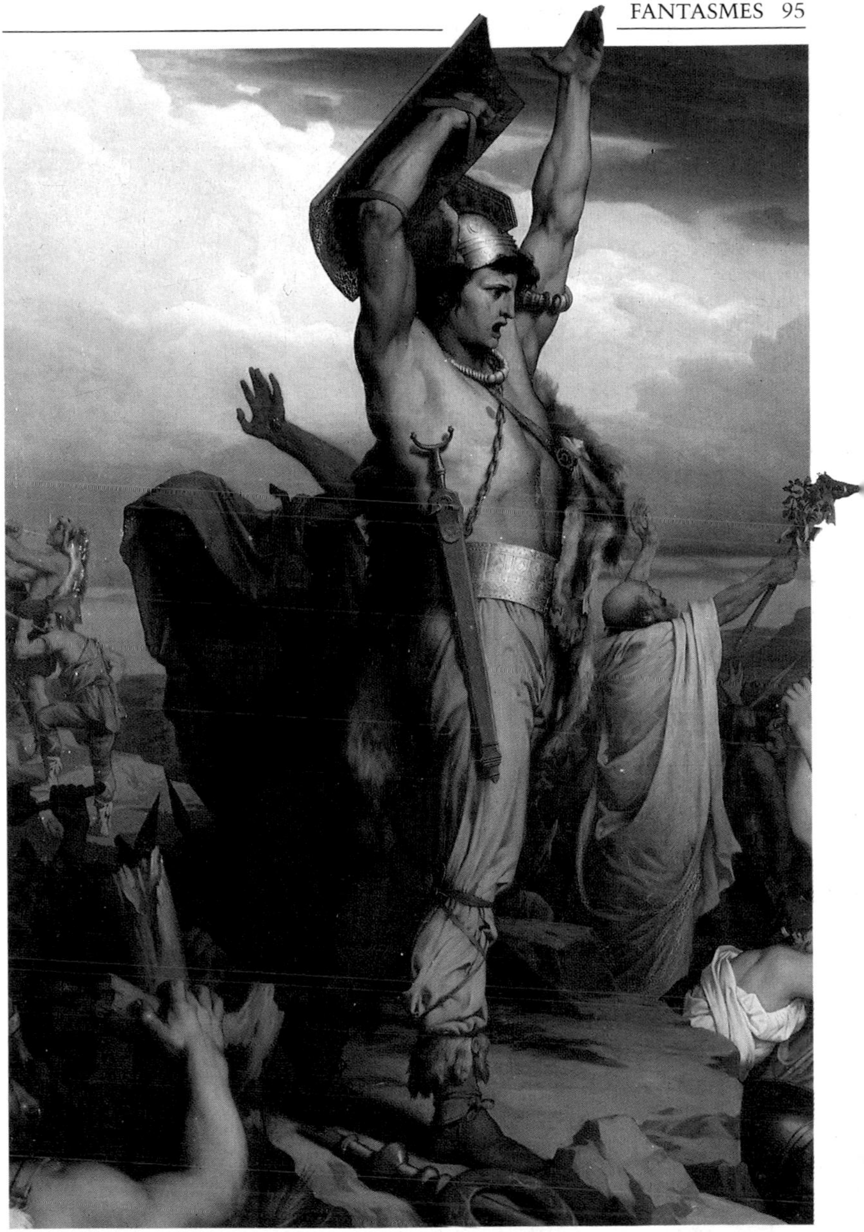

Archéologie transcendante — Que pensent ces Messieurs ?
Les uns pensent à l'aise — Les autres pensent à Lise.

de combes, de plateaux tourmentés en tous sens, une nouvelle Alésia vient d'être reconnue.»

Dès lors, le monde savant se divise. La Commission des antiquités de la Côte-d'Or défend son Alise bourguignonne. Des militaires spécialistes de la stratégie des Romains fortifient le camp des Alisiens. L'Académie des inscriptions et belles-lettres hésite à se prononcer.

C'est donc en pleine guerre Alaise-Alise que le premier coup de pioche est donné au pied du mont Auxois. Le 4 mai 1861, un premier fossé est trouvé. Les fouilles, menées de 1862 à 1865 sous la direction du colonel Stoffel, officier d'ordonnance de l'empereur, et sous l'autorité de la Commission de topographie des Gaules, sont probantes :

« L'Empereur lui-même, qui attache un si vif intérêt à tout ce qui peut éclairer l'histoire de la France, a voulu se rendre sur les lieux de la fouille d'Alésia. Il a, le 19 juin 1861, parcouru à pied tout le théâtre des fouilles; il a gravi le Mont-Auxois», écrit de Saulcy. Le choix de l'empereur en faveur d'Alise-Sainte-Reine n'a pas empêché les caricaturistes d'ironiser sur le débat.

la découverte des fossés de circonvallation, d'épées, de javelots, de casques, d'un vase en argent préromain, tout atteste le siège d'une ville gauloise.

Le 19 juin 1861, l'empereur en personne visite le site, accompagné de Mérimée et de De Saulcy, président de la Commission. Napoléon III, auteur d'une *Histoire de Jules César*, a quelques bonnes raisons de s'intéresser à Alésia.

Le vase en argent découvert à Alésia date bien de l'époque hellénistique, comme l'avaient supposé, alors sans preuve mais pour les besoins de leur cause, les partisans d'Alise-Sainte-Reine.

Les deux dernières batailles d'Alésia

Les fouilles impériales avaient pour objectif d'identifier Alésia en retrouvant les ouvrages militaires des assiégeants romains. Au début du XXe siècle, d'autres fouilles commencent. Elles débouchent cette fois sur la découverte de la bourgade gallo-romaine qui, il y a deux mille ans, sur le mont Auxois, avait remplacé l'oppidum défendu par Vercingétorix.

C'est là que se situe la troisième bataille d'Alésia, de loin la plus mesquine. En 1905, la Société des sciences de Semur-en-Auxois veut explorer le plateau d'Alésia, et plus seulement les contrevallations romaines. Elle confie les fouilles à Victor Pernet, ancien maire d'Alise, qui a déjà participé aux travaux napoléoniens. L'année suivante, ressentant le besoin d'un directeur de fouilles plus expérimenté, elle demande conseil au Comité des travaux historiques qui fait détacher le commandant Emile Espérandieu. Les relations entre le commandant et la Société, entre le

Le principal mérite archéologique des fouilles entreprises sur l'ordre de Napoléon III est d'avoir permis, par la découverte de traces des fossés, la restitution du système de fortifications (contrevallations) mis en place par César pour assiéger Alésia.

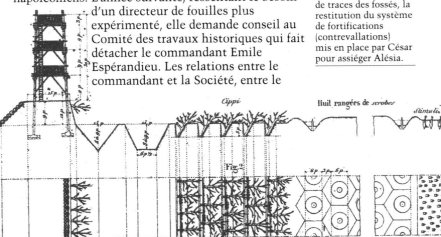

Cippi   Huit rangées de *scrobes*   *Stimuli*

Fig.

savant parisien et les érudits locaux, se dégradent vite. Lettres d'injures, pamphlets vengeurs s'échangent entre les deux camps jusqu'en 1909. Il y aura deux chantiers de fouilles, distincts et ennemis, deux musées à Alésia, jusqu'à la dernière guerre.

Un demi-siècle plus tard, la quatrième bataille d'Alésia est déclenchée par un écrivain à succès, Georges Colomb, père du *Sapeur Camembert* et de *La Famille Fenouillard*. Il n'est évidemment ni historien, ni archéologue, ni latiniste, ni topographe. Mais un grand historien, Jérôme Carcopino, se sent obligé de s'en prendre à Colomb, nouveau héros d'Alaise. *Alésia et les ruses de César* (1958) reprend significativement le même plan d'exposé que celui de l'ouvrage de Colomb, désignant ce dernier comme l'adversaire. Un combat aussi inégal était-il indispensable? Des fouilles menées à Alaise de 1952 à 1954 avaient déjà démontré qu'il n'y avait aucune trace gauloise ni romaine sur cette petite montagne

Les fouilles de la bourgade gallo-romaine installée au sommet du mont Auxois comptent parmi les mieux menées de l'époque.

En 1906, juste avant que n'éclate la bataille entre le commandant Espérandieu et la société archéologique de Semur-en-Auxois, tous les fouilleurs assemblés posent pour la postérité.

jurassienne. Pour une défaite, Alésia a décidément
fixé bien des passions.

L'âge des synthèses et des manuels

Mis à part le *Cours
d'antiquités* d'Arcisse
de Caumont, le dix-
neuvième siècle n'a pas
tenté la ou les grandes
synthèses archéologiques
que l'on aurait pu
attendre. Tout semble
se jouer en 1908. Cette
année-là paraissent le
premier volume de
L'Histoire de la Gaule
de Camille Jullian et
celui du *Manuel*

VORSEROT père   TESTART   MATRUCHOT   VORNEROT fils
      PERNET   C. ESPÉRANDIEU   D. SIMON   GROSJEAN

d'archéologie préhistorique, celtique et gallo-
romaine de Joseph Déchelette. On peut y ajouter le
premier volume du *Recueil général des bas-reliefs,
statues et bustes de la Gaule romaine* d'Espérandieu,
publié en 1907.

   Pour Camille Jullian, qui a une véritable formation
universitaire classique, la terre, dans le double sens
géographique et nationaliste, est au centre de
l'histoire de France : «Faire l'histoire de la Gaule,

Victor Pernet, le
fouilleur d'Alésia,
fait à Joseph Déchelette
l'honneur d'une visite
du chantier. Celui-ci
s'imposera comme le
grand archéologue du
début du XXᵉ siècle.

MANUEL
D'ARCHÉOLOGIE
GALLO-ROMAINE

par

Albert GRENIER

DEUXIÈME PARTIE
L'ARCHÉOLOGIE DU SOL
* *
NAVIGATION — OCCUPATION DU SOL

PARIS
ÉDITIONS A. PICARD
82, Rue Bonaparte, 82
1934

c'est raconter et expliquer les changements qui se sont produits dans l'aspect du sol et dans la manière de vivre et de penser de ses habitants. Nous ne séparerons pas l'étude de l'humanité de celle du terrain qui la nourrit», déclare-t-il.

Son attitude devant l'histoire de la conquête de la Gaule par les Romains est révélatrice. Un patriote cultivé ne peut échapper à la contradiction : les Romains ont simultanément ravi son indépendance à la Gaule et apporté la civilisation aux Gaulois. Jullian oscillera entre deux extrêmes. Ses premiers écrits célèbrent l'action civilisatrice de Rome, «les bienfaits du régime impérial en Gaule». Il crédite même César d'avoir préservé les Gaulois des Germains. A la fin de sa carrière, au contraire, il juge cette protection inefficace puisque les Francs, descendants des Germains sont finalement entrés en Gaule. Il condamne surtout la cruauté et la cupidité de César, et accuse les Romains d'avoir étouffé le génie des Gaulois.

Joseph Déchelette est initialement un simple amateur, mais la bonne organisation de sa riche bibliothèque et un système de fiches déjà moderne lui permettent de publier entre 1908 et 1913 les quatre premiers volumes de son *Manuel* qui a longtemps servi de référence. Albert Grenier, ancien

Le patriotisme de Camille Jullian l'empêche d'adhérer aux idées des «celtisants» pour qui la civilisation gauloise n'est qu'un sous-ensemble de la celtique, s'étendant de l'Europe centrale à l'Irlande. Le goût des images qu'il cultive – il qualifie d'«assemblée nationale» le «concile des druides» – ainsi que son nationalisme trop véhément lui vaudront des critiques de ses contemporains, dont l'un d'eux oppose «la chasteté de l'histoire érudite» à l'histoire «maîtresse vulgaire à qui on demande ses voluptés». Le même lui reproche, sans plaisanter, de «mêler la patrie à cet inceste».

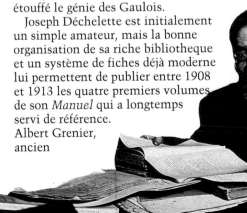

Dès le début du XIXᵉ siècle, les musées archéologiques apparaissent, à Arles, à Nîmes, à Narbonne, à Besançon. En 1824, un musée d'antiquités est aménagé dans la Maison carrée restaurée (ci-dessous). Mais ces premiers musées se situent dans la lignée des cabinets de curiosités, en vogue depuis le XVIᵉ siècle. Les antiquités y sont encore mêlées aux collections d'œuvres d'art. Le musée des Antiquités nationales de Saint-Germain-en-Laye (ci-contre, à gauche) est le premier d'un genre plus proche de notre conception actuelle. En 1862, par décret impérial, le château est affecté à un musée gallo-romain. Il ouvre en 1867 à l'occasion de l'Exposition universelle. Mais les collections privées, où s'entassent les mobiliers funéraires de tombes rapidement fouillés, vivent encore de beaux jours (ci-contre, à droite, une collection dans la Marne).

membre de l'Ecole française de Rome, comme Jullian, à la demande de ce dernier d'ailleurs, achèvera magistralement le travail de Déchelette. Sept volumes, publiés de 1931 à 1960, formeront le *Manuel d'archéologie gallo-romaine.*

Les derniers amateurs ?

En 1958, paraît *Monuments et trésors de la Gaule* d'Henri-Paul Eydoux, préfacé par Carcopino. L'archéologie officielle paye sa dette envers les amateurs. Carcopino loue le reporter qui a su «lire et interroger les explorateurs, [...] accomplir un acte de justice envers les chercheurs dont il a signalé à une opinion mal avertie la compétence et le désintéressement». Les quatre volumes de son œuvre, parus entre 1958 et 1961, dressent un tableau complet des découvertes archéologiques en France et révèlent que deux tiers au moins des chantiers sont

«L e jour de ma visite, écrit en 1907 l'architecte des Monuments historiques chargé de surveiller les fouilles de Paley (Seine-et-Marne), des objets extrêmement intéressants, rangés dans une vitrine improvisée, me furent montrés par madame Lapille en présence de M. le curé.»

menés par des amateurs. Leur tâche
n'est pas aisée car ils travaillent
sans formation, sans argent, et
dans une confiance limitée.
Eydoux le rappelle à propos
de Jacques Gourvest, le fouilleur
de Châteaumeillant (Cher) :
«Pour parler franc, l'archéologie
officielle se méfie souvent
des néophytes, de ceux qui
n'ont pas de diplômes et qui
cheminent innocemment sur
les brisées des spécialistes
chevronnés.» Le bilan de cette
archéologie des amateurs
n'est pas mince, en découvertes
spectaculaires mais aussi
en expériences méthodiques.

Au début du
XXe siècle, grâce
aux subventions
offertes par le Comité
des Travaux
historiques, les fouilles
se multiplient dans
les campagnes, à Alésia
toujours (ci-dessus,
le fouilleur dit «Gros
Claude»), aux Bolards,
près de Nuits-Saint-
Georges (ci-dessus, un
ex-voto représentant un
âne) ou dans la Marne
(ci-contre, l'allée
couverte du Reclus,
dite «La Pierre de
Justice», fouillée et
redressée).

Depuis le début des années 1960, beaucoup de choses ont changé. Des amateurs ont accédé à la responsabilité de directeur de circonscription autrefois réservée aux universitaires.

Les postes d'archéologues professionnels, municipaux, départementaux ou rattachés à des laboratoires de recherche se sont multipliés. C'est une autre archéologie, largement officielle, qui a assumé les chantiers archéologiques entraînés par les bouleversements urbains, par les ouvertures d'autoroutes ou les fouilles programmées.

Le fabuleux «trésor de Vix» est découvert en 1953 par René Joffroy, professeur de philosophie au lycée voisin de Châtillon-sur-Seine. Les amateurs du XXe siècle ne sont plus les notables des siècles précédents. Ils exercent les professions les plus diverses : instituteur, employé, cultivateur, ouvrier...

La nouvelle archéologie

Non seulement les hommes ont changé, mais aussi les méthodes de l'archéologie, les problèmes qu'elle se pose, jusqu'aux domaines où elle s'exerce. La récente archéologie du paysage, par exemple, concerne directement la Gaule, des champs celtiques, dont les limites peuvent subsister dans les crêtes de labour fossilisées, aux centuriations romaines inscrites dans les parcellaires modernes. L'archéologie aérienne y a pris une large part. La notion de stratigraphie, venue des géologues et des

Le «trésor de Vix» est constitué d'un mobilier funéraire déposé sous un tumulus princier au VIe siècle av. J.-C., dont le principal ornement est un gigantesque vase grec en bronze (ci-dessus). La présence de tels attributs de richesse dans une tombe du premier âge du fer de la haute vallée de la Seine s'explique par la proximité de l'oppidum du mont Lassois, étape sur la voie de l'étain. Cette découverte exceptionnelle est en fait le fruit des recherches poursuivies par la Société archéologique de Châtillon-sur-Seine depuis le XIXe siècle.

Totalement inconnu, le site antique de Ribemont-sur-Ancre (Somme) est de ceux qui ont été révélés par la photographie aérienne à une date très récente. Il s'agit d'un vaste sanctuaire monumental rural composé d'un grand temple et de ses dépendances (photographie ci-contre), d'un théâtre et de thermes. Les fouilles menées après la découverte aérienne du site montrèrent qu'il s'agissait d'un sanctuaire et non d'une villa, comme la vue d'avion l'avait un moment laissé croire. Elles permirent aussi la datation : fin de l'époque d'Auguste pour le temple, début du règne de Néron pour le théâtre, règne de Trajan pour les thermes. Les fouilles révélèrent encore que le site avait été peu fréquenté et qu'il avait connu bien des remaniements : reconstruction du temple au début du IIIe siècle, transformation du théâtre en amphithéâtre et destruction méthodique des thermes (aux frais d'entretien trop élevés) à la fin du IIe siècle.

préhistoriens s'est imposée à l'archéologie «classique». La science a fait une entrée remarquée, l'«archéométrie» renouvelle les méthodes de datation ou de prospection. Aux préoccupations purement historiques et événementielles des archéologues d'autrefois, ceux d'aujourd'hui, en sociologues du passé, préfèrent souvent celles qui concernent la culture matérielle et les mentalités. Ils scrutent les plus humbles vestiges de la vie quotidienne des anciens habitants de la Gaule.

Simultanément, l'archéologie connaît une plus large audience. Le cercle des notables du XIXe siècle et des amateurs passionnés du début du XXe siècle s'est élargi à un vaste public cultivé. Le tourisme justifie les dépenses engagées, en même temps qu'il dévore certains sites au point qu'il faut mettre sur le marché des reconstitutions méritantes, de Lascaux à l'Archéodrome.

Un certain mépris pour les anciens antiquaires, pour l'archéologie des notaires, des instituteurs ou des curés de campagne règne en contrepartie. Pourtant, quel regard porteront les archéologues de demain sur ceux d'aujourd'hui? Probablement le même que ceux d'aujourd'hui portent sur Vinet, Spon, Catherinot, Caylus, Grignon, Beaumesnil ou Legrand d'Aussy.

Depuis une trentaine d'années, l'archéologue Roger Agache a découvert, grâce à la photographie aérienne, de nombreuses villas gallo-romaines (ci-contre la villa de Béhencourt), ce qui a complètement transformé la vision des campagnes du nord de la Gaule. Le seul relevé des plans transcrits des vues aériennes permet de constater l'homogénéité de la typologie: habitation à galerie extérieure, très grande cour bordée de communs.

Les méthodes de fouilles méticuleuses, élaborées autrefois pour la préhistoire se sont progressivement imposées aux fouilles protohistoriques et même gallo-romaines.

TÉMOIGNAGES
ET DOCUMENTS

Méthodes et techniques

La première méthode de l'archéologie est lu comparaison et le classement. C'est ainsi qu'à partir des objets découverts, souvent fortuitement, s'établirent les premières typologies qui permettaient théoriquement de les dater et de leur attribuer des usages. Mais les démarches réellement critiques n'apparaissent pas avant le XVIIIᵉ siècle. Le passage des fouilles fortuites aux volontaires s'accompagna logiquement de progrès dans les techniques de prospection, de fouilles et d'interprétation.

La cachette de Langres

La découverte dans un même ensemble d'une sorte de couteau et d'un vase amène l'académicien Nicolas Mahudel à penser qu'on est en présence du matériel d'un sacrificateur. Le principe de la réflexion est juste, puisque l'usage des objets est déduit de leur association, de leur contexte. Mais le résultat est erroné puisqu'il s'agit probablement d'une cachette de luxueux objets domestiques gallo-romains.

Tant que l'on n'a vu dans les cabinets des curieux que deux ou trois types de l'instrument qui est représenté ici, on a eu peine à déterminer l'usage auquel il a servi ; mais depuis qu'il s'en est trouvé sept ou huit tout semblables, dans la découverte faite il y a quelques années près de Langres, de toutes sortes de vases et d'instruments d'une antiquité incontestable, connus pour avoir appartenu aux sacrifices des Romains, c'est d'abord un puissant préjugé pour donner un usage du même genre à celui-ci.

Les autres instruments qui l'accompagnaient dans la terre où ils étaient enfouis, étaient un couteau appelé *Scespita*, servant à égorger les victimes, un chaudron pour en contenir les entrailles, deux patères à queue, l'une plus et l'autre moins profonde pour en recevoir le sang, une autre patère couverte et sans queue, deux *Prefericules* de différentes formes, un manche d'*Aspersoir* pour jeter l'eau lustrale, une boîte couverte propre à tenir l'encens, trois petites cuillères d'argent pour le prendre, un morceau même assez considérable de *Succin* jaune, substance qui était autrefois, comme à présent, dans les parfums ; et deux de ces coins dont l'usage a déjà fait matière des recherches de plusieurs antiquaires.

M. Mahudel, qui a acquis tous ces instruments de celui-là même qui en avait fait la découverte, non content du préjugé auquel la circonstance de leur assemblage donne lieu, pour prouver que celui dont il s'agit a été employé aux sacrifices, a tâché par l'examen qu'il en a fait de découvrir à quelle partie du sacrifice il pouvait convenir. […]

La première chose qu'on faisait dans les sacrifices de taureaux était de renverser la victime d'un coup qu'on lui donnait sur les ligaments du col, ce qui s'exécutait avec la hache appelée *Acieris* ou *Securis*. La seconde opération, qui était celle d'égorger l'animal, et de lui tirer le sang par la jugulaire, se faisait avec le *Scespita*, dont la figure, suivant la description de Festus, approchait de celle d'un poignard.

La troisième enfin, qui était d'écorcher la victime demandait une espèce de couteau qui a été peu connu jusqu'à présent. […]

A l'égard du nombre d'instruments semblables trouvés au même endroit, il n'est pas surprenant qu'il soit plus grand que celui des couteaux à égorger, puisqu'avec un seul de ces derniers, un victimaire aurait pu dans l'espace d'un quart d'heure, donner de l'occupation à six personnes qui se seraient servies en même temps des premiers, surtout dans de grands sacrifices où l'on immolait plusieurs animaux.

On ne peut douter que ces actes de la religion romaine ne se pratiquassent dans tout le pays de Langres où s'est faite la découverte de ces instruments, puisque les peuples qui l'habitaient ayant longtemps avant César été les alliés des Romains, et depuis sujets à leurs lois, ils adorent les mêmes dieux, et leur rendaient le même culte que les Romains. Rien n'est plus aisé à justifier que cette conformité, par les vestiges des temples, par le nombre des idoles, d'outils et de consécrations à diverses divinités exprimées par quantité d'inscriptions antiques qui se voient encore dans l'étendue de ce territoire.

N. Mahudel, «Conjectures sur l'usage d'un instrument antique d'airain trouvé près de Langres», *Mémoires de l'Académie des Inscriptions et Belles-Lettres*, 1714

Les épées de cuivre de Jensat

Pour dater des épées découvertes fortuitement dans l'Allier, le comte de Caylus se livre à l'expérience, faisant forger des lames de cuivre pour éprouver leur résistance, et recherche parmi les découvertes étrangères celles qui peuvent être comparées à celles de Jensat.

La construction et la réparation des grands chemins, dont la France est maintenant plus occupée qu'aucun autre pays de l'Europe, obligeant à fouiller la

P oignard de l'âge du bronze conservé dans le cabinet de Peiresc.

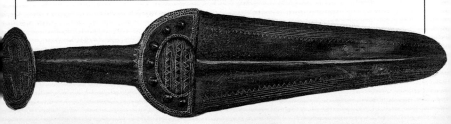

terre, donne occasion de retirer de ses entrailles des monuments qu'elle n'a pas eu le temps de consumer tout-à-fait. M. Trudaine, Intendant des Finances qui dirige ces grands ouvrages [...] envoya à l'Académie dans le mois de juin 1751, sept épées de cuivre jaune, avec une roue creuse, un morceau de cuivre ressemblant à un fer de lance, et quelques pièces de même métal, déterrées à Gensac [Jensat] près de Gannat en Bourbonnais.

Les épées attirèrent d'abord les regards de l'Académie, comme ceux d'Achille à Syros. Les sentiments se partagèrent ; plusieurs Académiciens prétendirent que c'étaient des armes de combat : entre ceux qui étaient de cet avis, les uns croyaient reconnaître dans ces épées la fabrique romaine, d'autres les attribuaient aux Gaulois, quelques-uns aux Francs établis dans les Gaules. Selon l'autre opinion, ces épées n'avaient pas été fabriquées pour la guerre ; c'étaient ou des armes de gladiateurs, ou des débris de quelque monument tel qu'un trophée, un char de triomphe. [...]

M. le Comte de Caylus, qui joint à une connaissance très étendue des arts pratiqués de nos jours une étude profonde de ces mêmes arts chez les anciens, n'a pas balancé à décider que ces épées étaient antiques et de fabrique romaine. Il est persuadé que les anciens faisaient usage des armes de cuivre pour l'offensive comme pour la défensive. Cette opinion reçue de la plupart des Antiquaires, principalement en Italie, est fondée sur les monuments mêmes, sur les raisons physiques et sur des expériences modernes.

Toutes les armes antiques que les cabinets renferment ne sont que de cuivre. M. le Comte de Caylus ne connaît que deux lames d'épées de fer, que l'on puisse regarder comme Romaines ; elles sont dans le cabinet des Jésuites de Lyon. [...]

Mais l'expérience étant au-dessus du raisonnement, M. le Comte de Caylus l'a consultée ; elle lui a donné des lames d'épées toutes pareilles à celles de Gensac . on y voit le cuivre trempé, et par conséquent très dur, forgé, travaillé, susceptible de la meule, et revêtu de toutes les propriétés du fer. Ces lames modernes sont même plus dures et plus fortes, elles ont plus de ressort ; mais cette différence ne vient sans doute que de l'altération qu'ont produite dans les épées de Gensac les sels et les nitres de la terre dans l'espace d'un si grand nombre de siècles.[...]

En 1699, Christianus Detllerus Rhodius, pasteur de l'église de Bamstelle, dans le Holstein, ayant fait fouiller dans la terre, trouva une portion de lame d'airain, une épée de cuivre dont la poignée et le fourreau étaient de bois. [...] Ces deux épées sont gravées dans un journal intitulé *Nova litteraria maris Balthici*. Elles ressemblent extrêmement à celles qu'on a présentées à l'Académie.

Jacques Mellan, ministre de l'Eglise de Lubec, dans une lettre écrite en 1699, et insérée dans le même journal, prouve que l'usage du fer est plus récent dans le Nord que celui du cuivre. Il observe que Rudbeck est du même sentiment, et que pour le confirmer il cite une hache de cuivre que l'on conservait dans le cabinet Royal et une épée dans le même métal.

Enfin un savant de Westphalie remarque, dans un Mémoire qui a remporté le Prix de l'Académie de Berlin, qu'on trouve communément des épées de cuivre dans le pays qu'il habite. Or, suivant plusieurs auteurs, la première habitation des Francs était aux environs de la mer Baltique, et en particulier dans le Holstein. [...] On trouve des épées de cuivre en France, en

Westphalie et vers la mer Baltique ; n'en peut-on pas conclure que les Francs s'en sont servis quelquefois ?

Mémoires de l'Académie des Inscriptions et Belles-Lettres, 1751

La découverte de la céramique sigillée

Les tessons de céramique sigillée gallo-romaine ornée ou signée, à la couleur rouge et au vernis brillant caractéristiques, qui fréquemment sont trouvés à travers la France, intriguent. La répétitivité des motifs de décoration et des marques de potiers suggère que les lieux de fabrication devaient être comptés. Mais où était précisément fabriquée cette céramique ? De quand datait-elle ? Quelle était la signification des signatures ? Quel était le secret de son vernis ? Les premières réponses furent apportées dès le XVIIIe siècle.

On a trouvé [à Marsal, en Meurthe-et-Moselle] un vase antique d'une terre rougeâtre, vernissée en dedans et en dehors, d'un grain très beau et très fin. Au fond de ce vase est écrit en très beau caractère romain CASSIVS. F. On ne peut douter que ce morceau ne soit antique ; il était d'ailleurs enfoui à 22 pieds de profondeur, il est probable qu'il y est depuis qu'il existe ; ce qui ferait aussi remonter le Briquetage [voir plus loin] jusqu'au temps des Romains.

La marque CASSIUS. F. est bien celle d'un potier gallo-romain du IIe siècle ap. J.-C. ayant travaillé à Heiligenberg en Alsace.

A. de La Sauvagère,

Recherches sur la nature et l'étendue d'un ancien ouvrage des Romains, appelé communément Briquetage de Marsal, Paris, 1740

Si Hadrien défendit aux architectes d'inscrire leur nom sur les monuments qu'ils élevaient, les habiles potiers, qui formèrent ces beaux vases [en «terre rouge»], surent se soustraire à une loi, qui devait étouffer les germes des talents ; car nous trouvons leurs noms imprimés, presque tous en caractère romain, sur la surface intérieure du fond des mieux exécutés.

Nous croyons remplir un devoir de justice et de reconnaissance, en transmettant à la postérité les noms que les potiers ont inscrits sur leurs ouvrages : ils prouvent d'un côté les rudiments de l'imprimerie, et de l'autre l'émulation de ces ouvriers et des sentiments d'un amour-propre, qui est le germe de la perfection des arts. Ces noms ne sont pas tous complets, quelques-uns ne sont que des lettres initiales, d'autres des abréviations : nous les rendons tels que nous les avons lus. [...] Beaucoup de ces noms sont précédés de la préposition *OF*, qui veut dire *de* au génitif, ou bien *OF* exprime l'abréviation du mot *officinæ,* laboratoire [c'est la seconde explication qui est la bonne]. Dans l'un et l'autre cas on a lieu de présumer que ces mots précédés désignent le nom de la manufacture dans laquelle ces vases ont été faits, ou ceux de l'ouvrier.

P.-Cl. Grignon,
Bulletin des fouilles faites par ordre du roi, d'une ville romaine, sur la petite montagne du Châtelet, Bar-le-duc, 1774

Quant à ces fragments de poterie rouge trouvés sur la montagne de Gergovia [en 1765], ils sont très communs, non seulement dans le voisinage de Clermont, et à plusieurs lieues de distance, mais même dans la ville et encore plus dans son ancienne enceinte. Longtemps on avait ignoré d'où venait cette vaisselle si abondante et si jolie ; on la croyait étrangère à l'Auvergne ; et rien ne faisait soupçonner qu'elle y eût été fabriquée.

Le hasard en fournit la preuve, il y a dix ans ; et la manufacture fut trouvée à six lieues de Clermont [à Lezoux], par-delà l'Allier, dans la Limagne. M. de Chazerat, Intendant de la province, faisant creuser et aplanir des terres pour ajouter une avenue à son château de Ligones, on découvrit l'atelier. Il était formé de 70 à 80 fourneaux.

Legrand d'Aussy,
Voyage d'Auvergne, Paris, 1788

[P. de Beaumesnil] trouva un champ, assez vaste [près du château de Ligones, dans l'Allier] rempli de débris de poteries rouges. Là il découvrit les fours où on les cuisait, des fragments des moules dans lesquels on les fabriquait, et un gâteau de la terre avec laquelle on les faisait et sur lequel étaient imprimés les lignes de la peau et les plis de l'intérieur de la main qui l'avait pétri. [...] Près de là est un étang qui paraît s'être formé dans les excavations du terrain d'où on tirait la terre.

En 1780, Beaumesnil et Chazerat venaient de découvrir la grande officine de sigillée de Lezoux.

A. Mongez,
Note sur les poteries antiques de couleur rouge, dans *Mémoires de l'Académie des Inscriptions et Belles-Lettres*, 1804-1818

M. Artaud de Lyon a recueilli tout ce qu'on en avait conservé [des fouilles de Ligones], notamment un moule bien entier, et dans lequel il a lui-même fait pousser une argile qui a produit de jolis vases. Ce savant s'occupe depuis plusieurs années de rechercher la composition de cette *terra campana*, dont on trouve des débris de vases dans tous les endroits que les Romains ont habités. Il a réussi à en retrouver la qualité et le grain ; mais il n'a pas été aussi heureux pour le couverte rouge, dont l'analyse a échappé jusqu'à ce moment à nos plus habiles chimistes.

Nos savants chimistes, entr'autres M. le comte de Chaptal, ont pensé que ces couleurs [laque à l'alumine, laque de garance] avaient non seulement pu servir dans la peinture, mais qu'elles avaient peut-être été employées à former la couverte des poteries Romaines ; mais il ne paraît pas que dans les premiers siècles ils fissent usage des fondants métalliques pour la fixer et la vitrifier.

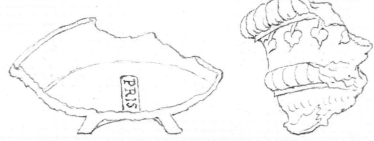

Fragment de Vaisselle de Ligones, de 7 à 5 poulces de grandeur. beau vernis.

C'est aussi l'opinion de M. Darcet, qui a fait beaucoup d'expériences sur les poteries antiques. Nos plus habiles chimistes s'accordent donc à penser que la couverte de poteries Romaines n'était pas métallique ; mais ils n'ont pu en retrouver et en reproduire la composition. [...]

Les empreintes sigillaires qui sont au fond des vases Romains de terre rouge, étaient les noms ou les marques des potiers. Outre ces empreintes, on trouve aussi sur le corps des vases des noms et des inscriptions presque toujours en relief, mais qui, selon nous, présentent, à l'imitation des vases Grecs, les noms de ceux auxquels on voulait les offrir, ou les motifs de ces présents. A cet effet, les potiers devaient avoir des alphabets mobiles, dont chaque lettre était séparée, et qui servaient à composer les noms que l'on désirait ; ce qui fournirait une nouvelle raison de s'étonner que les anciens n'aient pas imaginé l'imprimerie.

Grivaud de La Vincelle,
Recueil de monuments antiques, la plupart inédits, et découverts dans l'ancienne Gaule, Paris, 1817

V ase de céramique sigillée et autres antiquités, publiés par Grivaud de La Vincelle.

En les comparant [des tessons de céramique sigillée trouvés à Moyenvic en Meurthe-et-Moselle] avec ceux que nous avons observés vers Mayence, nous sommes portés à les regarder tous comme sortis d'une seule et même fabrique existante dans la Belgica Prima. Le hasard nous a procuré le rapprochement. Nous possédons une fort belle coupe très ornée, trouvée sous nos yeux, en 1810, dans les travaux de fortification de Castel vis-à-vis de Mayence. Un fragment trouvé dans le bois de Nachtweide près de Dieuze, nous présenta la même terre, le même vernis et des ornements si pareils, qu'on les croirait sortis du même moule : l'identité ne peut être plus complète et cette faible indication va nous conduire à fixer l'époque où cette fabrique versait ses produits dans la Prima Belgica.

En effet, le vase de Mayence a été trouvé avec des briques estampillées de la quatrième légion flavienne, qui permet de leur assigner une date.

Dupré,
Mémoire sur les antiquités de Marsal et Moyenvic, Paris, 1829

Les fouilles de ces maisons [de Pompéi] ont encore produit des coupes de terre rouge assez curieuses, ornées de feuillages, d'enroulements, de figures en relief, d'une jolie exécution et d'un bon style. Quelques antiquaires croient qu'ils viennent de la Gaule, parce qu'en effet on en trouve en grand nombre qui ressemblent à ceux-ci. Je ne sais jusqu'à quel point cette opinion est fondée ; la Campanie si riche en vases et si habile à les faire, en tirait-elle des autres pays ? [.] Mais les ornements de plusieurs de ces vases, quoiqu'on y trouve des coqs, me semblent d'un trop bon style pour être gaulois. On sait d'ailleurs que l'on fabriquait à Cumes [en Italie] des vases d'une terre rouge, et si ceux-ci ne sont pas de Pompéi, ils pourraient venir de Cumes ; ce qui est plus simple que de leur donner une origine gauloise. *Certains des vases en question ont pourtant bien été fabriqués à La Graufesenque (Aveyron), on le sait aujourd'hui.*

F. de Clarac,
Fouille faite à Pompéi en présence de S.M. la Reine des Deux-Siciles,
Paris, 1813

Ce que présente de très remarquable cette poterie antique, c'est la ressemblance de finesse dans la texture, densité et surtout de couleur rouge de ces Poteries dans tous les pays. Cette ressemblance qui a frappé tous les observateurs, est une sorte d'énigme difficile à résoudre d'une manière satisfaisante ; car quand on énumère les lieux [le jardin du Luxembourg à Paris, le Châtelet, Gergovie] nombreux éloignés les uns des autres, différents par la nature de leur sol, où se trouvent des poteries romaines de cette sorte, on s'explique difficilement comment les Potiers romains pouvaient faire partout des pâtes si semblables entre elles.

Alexandre Brongniart énumère ensuite les sites possibles de fabrication de la

céramique sigillée, en se fondant sur les découvertes de fours de potiers : Paris (à l'emplacement du Panthéon), Le Mans, Orléans, Le Châtelet, Nîmes, Lezoux, Rheinzabern, Ittenweiller, Heiligenberg. Les fouilles postérieures ont montré que seuls les quatre derniers sites cités avaient été ceux d'officines de céramique sigillée.

A. Brongniart,
Traité des arts céramiques ou des poteries, Paris, 1844

Antérieux (Anderitum) capitale des Gabales ?

Traditionnellement la capitale des Gabales, Anderitum, était située à Javols (Lozère) – ce que les recherches modernes ont confirmé –, mais A.-C. Walckenaer crut pouvoir démontrer qu'il s'agissait d'Antérieux. Certes il s'est trompé, mais remise en cause des attributions, critique des sources (la description de l'écrivain gallo-romain Sidoine Apollinaire, la carte antique dite de Peutinger), essai de vérification archéologique (enquête par l'intermédiaire du préfet de la Lozère) font progresser la recherche en général, même à travers des erreurs particulières.

En Italie et dans les Gaules, les positions des villes anciennes qui ont un rang de capitale, sont, en général, bien connues par les monuments historiques [vestiges, inscriptions] constatant l'identité de ces villes avec les lieux modernes, ou déterminent l'emplacement qu'elles ont occupé. Ce n'est même qu'à l'aide de ces points principaux qu'on peut, par les mesures des itinéraires anciens, fixer avec certitude les positions des lieux intermédiaires plus obscurs dont il est fait mention dans ces mêmes itinéraires. [...]

Ptolémée est le premier auteur qui ait parlé de cette capitale : *Gabali et visitas Anderitum*. [...]

Quand on est dépourvu du secours des mesures anciennes, ou qu'on ne sait pas en tirer parti, on s'y prend de deux manières pour déterminer un point incertain de géographie. Les Gaules sont restées longtemps une des plus florissantes provinces de l'Empire Romain, et partout on y trouve des antiquités Romaines : quelques médailles, quelques débris insignifiants, se rencontrent-ils à peu près dans le canton où l'on cherche l'emplacement d'une ville antique, on prononce d'abord que là était cette ville ; la vanité des habitants du lieu s'empare de cette opinion ; on trouve bientôt des ressemblances dans les noms, des étymologies, des traditions locales même, qui viennent à l'appui ; chaque brique, chaque débris, chaque fondation de masure abandonnée, devient une preuve certaine dont il n'est pas permis de douter. Ou bien, on procède en sens inverse : si quelque nom moderne de village ou de ville a de l'analogie avec le nom ancien du lieu dont on cherche la position, on conjecture d'abord que ces lieux sont les mêmes ; ensuite les moindres restes antiques trouvés ou apportés dans ce lieu donnent à cette conjecture le caractère de la certitude et l'élève au rang des vérités historiques, qu'on n'ose plus combattre parce qu'on ignore presque toujours sur quoi elles reposent et par quels moyens elles sont établies.

C'est à cette dernière manière de procéder qu'un petit hameau appelé Javols, formé par une trentaine de maisons bâties sur les deux bords d'un ruisseau nommé Triboulin, dans le district de Saint-Chély, département de la Lozère, doit l'illustration dont il jouit paisiblement depuis un siècle et demi, et dont j'entreprends aujourd'hui de le dépouiller. [...]

Cette nouvelle conjecture reposait entièrement sur la ressemblance du nom ancien avec le nom moderne [Gabales et Javols]. Ce n'est pas qu'il en existe aucune entre *Anderitum* et Javols ; mais il y en a une légère entre ce dernier nom et *Gabali* et on sait que, vers la fin de la domination Romaine, un grand nombre de capitales perdirent leurs anciens noms et prirent celui des peuples qu'elles illustraient : ainsi *Lutetia* se nomma *Parisii* ; *Avaricum* fut appelé *Bituriges*, Bourges.

[Contre l'étymologie, Walckenaer avance l'argument de la description de Sidoine Apollinaire et celui des calculs sur la carte de Peutinger, et conclut]

J'ai déterminé les limites du territoire des *Gabali* j'ai fixé l'emplacement de leur capitale ; j'ai éclairci tout ce qui, dans Strabon, Pline, Sidoine Apollinaire et Grégoire de Tours, était relatif à la topographie antique de ce pays ; j'ai rectifié plusieurs erreurs graves de ceux qui m'ont précédé dans les mêmes recherches : je pense donc avoir rempli la tâche que je m'étais imposée par le titre de ce Mémoire.

A.-C. Walckenaer,
Mémoire sur l'étendue et les limites du territoire des *Gabali* et sur la position de leur capitale *Anderitum*, dans *Mémoires de l'Académie des Inscriptions et Belles-Lettres*, 1815

Les traces dans la végétation

Le phénomène par lequel des traces de murs ou de fossés apparaissent dans la végétation (anomalies de croissance) sous

Le sanctuaire de Ribemont-sur-Ancre (théâtre et dépendances) réapparaît dans les labours.

certaines conditions climatiques n'a en principe rien à voir avec la photographie aérienne. Celle-ci constitue seulement le meilleur moyen actuel de repérer de telles traces. Aussi, bien avant la prospection aérienne, des observateurs attentifs avaient-ils, du haut de leurs jambes, aperçu des traces sombres (sur des fossés) ou surtout claires (sur des murs). Voici quelques exemples :

Quand cette grande campagne [à Vendeuil-Caply, près de Breteuil-sur-Noye en Picardie, sur le site de *Bratuspantium]* est ensemencée de blé, on y reconnaît encore la disposition et les endroits des rues où le blé est plus petit qu'aux lieux où les maisons étaient bâties.

P. Louvet,
Histoire et antiquités du pays de Beauvaisis, Beauvais, 1631

Les rues, les grands chemins, les amphithéâtres, des cirques, se dessinent à l'œil des curieux [toujours à propos de *Bratuspantium*] ; c'est une carte géographique.

J. Cambry, *Statistique du département de l'Oise*, Paris, 1803.

[Des] divisions souterraines se manifestaient extérieurement par la stérilité de certaines lignes longues et régulières dans une campagne couverte de blé [sur le site de la villa de Jallerange en Franche-Comté découverte en 1768].

Ed. Clerc,
La Franche-Comté à l'époque romaine représentée par ses ruines, Besançon, 1847 (citant Séguin)

Ayant remarqué, dans les terres ensemencées, [à Damery, Somme] des lignes où la végétation était beaucoup moins forte qu'ailleurs, je demandai au propriétaire d'un champ de luzerne la permission de me livrer à des fouilles. [...] A quelque distance des deux lignes dont je viens de parler, et dans le sens qui les croisait, on voyait dans un champ de blé, par la différence de la végétation, trois lignes parallèles.

M. Buteux, «Notice sur quelques antiquités romaines et du Moyen Age de l'arrondissement de Montdidier », dans *Mémoires de la Société des Antiquaires de Picardie*,1838

L'inspection souvent répétée d'un terrain [permettra de] suivre les constructions antiques dont souvent le plan entier est dessiné par des lignes de plantes étiolées.

A. Lenoir, *Instructions du Comité historique des arts et monuments* , Paris, 1837-1849

Techniques de fouilles

Les découvertes ayant longtemps été fortuites, le problème des techniques de fouilles ne se posa que tardivement quand des fouilles volontaires furent entreprises à la fin du XVIIIᵉ siècle. Aussi J.-Cl. Grignon est-il le premier, en 1774, à décrire le système d'exploration par tranchées, qu'il utilisa. Les tumulus posaient un problème spécifique que les spécialistes tentèrent de résoudre. Peu à peu la conscience imposa des précautions à prendre. Une fois les fouilles menées à terme, il reste encore à faire le relevé de ce qui a été trouvé.

Fouilles pour les collines [«tumulaires»]. On ne peut, à moins de grandes dépenses, les fouiller sans les détruire ; et comme elles offrent un coup d'œil plus agréable, une masse plus importante [que les «tombeaux creusés dans les rochers»], un goût meilleur et qui sent moins le barbare et le sauvage, je ne verrais qu'avec peine, j'en conviens, qu'on abusât de mon projet, pour n'en laisser subsister dans les départements où l'on ne connaîtrait que deux ou trois collines tumulaires. [...] D'après cette considération qui me paraît fondée, on pourrait avant de se prononcer sur la conservation d'une haute et belle colline, la sonder par quelques percées latérales, et s'assurer ainsi de sa valeur réelle et du sort qu'elle doit subir .

Legrand d'Aussy, «Fouilles à faire dans les départements», dans *Mémoires sur les anciennes sépultures*, Paris, 1799

L'usage de décorer et de protéger les sépultures par des monticules ou tombeaux en terre fut presque universel dans l'Antiquité. On trouve en France de nombreux exemples de ces tombeaux, qui paraissent avoir été élevés, soit par les Celtes, les Kimris et les Gaulois, soit après eux par les Romains, et enfin par les peuples du Nord.

Les dimensions de ces collines factices varient en raison du nombre d'individus qui y furent inhumés : leur forme est allongée à la base lorsqu'on a voulu en faire des sépultures communes, nommées depuis ossuaires ; elle est arrondie quand l'inhumation est simple. Le squelette est placé sur le sol, sous la tête se trouve assez généralement une arme ; une grosse pierre couvre la partie supérieure du corps ; des ossements d'animaux l'entourent quelquefois. Ces sépultures doivent être fouillées en les coupant en croix par le milieu.

Une coupe indiquant le gisement des corps et leur position orientée, des mesures de diamètre et de hauteur, un plan de ces fouilles et un procès-verbal, tels sont les travaux qu'exige chacun de ces barrows.

Lorsque la tombelle, par sa grande étendue, peut être considérée comme un ossuaire, elle présente des dispositions intérieures de plusieurs natures : des chambres sépulcrales formées de pierres brutes, réunies comme des dolmens, renferment un ou plusieurs individus couchés ou assis ; des couloirs conduisent à ces cryptes, et souvent une galerie commune est destinée au service de tous les caveaux.

Dans d'autres exemples, une chambre allongée, formée comme les galeries couvertes, réunit les corps qui reçurent une sépulture commune enfin, dans ces ossuaires, les constructions sont quelquefois en pierres cimentées : c'est alors qu'en étudiant les divers ustensiles trouvés dans la sépulture on peut décider si elle est gauloise ou romaine. Les fouilles de ces ossuaires demandent plus de soin que celles des tombeaux simples, afin de ne pas les détruire en les ouvrant. Si la colline factice est allongée, elle peut être entamée par une des extrémités, ordinairement soumises à l'orientation.

Dans les plans et coupes, tracés avec beaucoup de soin, le nombre et la forme des pierres brutes qui composent les cryptes sont des détails importants à indiquer.

Une couche d'argile était ordinairement placée dans les parties basses pour les préserver de l'humidité : les procès-verbaux doivent faire mention de cette circonstance.

Les tombelles sont quelquefois réunies en grand nombre ; elles forment alors des cimetières près des oppida, dans leur enceinte, ou sur un champ de bataille. Placées sur une même ligne, il est nécessaire d'en indiquer la direction orientée, ainsi que les hauteurs respectives.

F ouille d'un tumulus au Danemark, au milieu du XIXe siècle, selon la technique de la tranchée transversale.

Les tombelles funèbres arrêtées à leur base par un cercle en pierres brutes ou appareillées peuvent offrir d'utiles observations relatives à la construction.

A. Lenoir,
Instructions du Comité historique des arts et monuments, Paris, 1837-1849

Indépendamment d'une bonne surveillance, et de l'ordre à établir dans le classement des fragments retrouvés, il est encore, afin d'arriver à un heureux résultat, des précautions à prendre en procédant aux travaux de déblaiement [il s'agit du dégagement du théâtre d'Orange en 1838-1839], tant pour la démolition des maisons que pour l'enlèvement des décombres et des terres. A l'égard des maisons qui posent sur des constructions anfiques, il convient de s'arrêter avec une judicieuse attention dans la démolition, au point où elles finissent. Quant à l'enlèvement des décombres et des terres, ce travail réclame encore plus de soin : ce n'est qu'à la main pour ainsi dire, et avec des pioches et des pelles en bois, qu'on doit procéder. Telle pierre, par exemple, qui est peut-être la dernière d'un angle, formant la direction de deux murs, pourrait être enlevée comme un fragment isolé, tandis qu'elle serait appelée à donner d'une manière précise une disposition qui jusqu'alors aurait été inconnue, et aurait pu être le sujet de vagues conjectures. Ensuite, on retrouvera nécessairement des fragments précieux, peut-être des statues : il ne faut donc point se servir d'outils qui puissent les exposer à des mutilations ; c'est, autant qu'il est possible, avec les mains mêmes qu'il faut opérer les fouilles en approchant du sol antique.

A. Caristie,
Notice sur l'état actuel de l'arc d'Orange et des théâtres antiques d'Orange et d'Arles, Paris, 1839

Vous ne devez rien négliger de tous les ouvrages publics ; s'ils ont quelque chose de considérable, d'ancien, de nouveau et de merveilleux. Le dessin pour cela est absolument nécessaire, il s'y faut styler de bonne heure. [...] Il se rencontre en effet tant de chefs-d'œuvre à ramasser, qu'un voyageur manquerait à son but principal s'il n'avait pas appris, ou s'il ne se pouvait servir de crayon.

Ch.-C. Baudelot de Dairval,
De l'utilité des voyages et de l'avantage que la recherche des antiquités procure aux sçavants, Paris, 1686

L'enfouissement des ruines

La manière dont les ruines s'enfouissent avec le temps, par des agents naturels ou humains, importe beaucoup pour leur conservation et leur compréhension. Des remarques ont été faites à différentes époques, notamment par L. Joulin au Martres-Tolosanes à la fin du XIXe siècle, mais c'est seulement très récemment que l'ensemble des observations possibles a été rassemblé.

Il est évident que la prospection archéologique en un lieu soupçonné est fonction de l'épaisseur et de la nature des remblais. Dans les fouilles elles-mêmes, la stratigraphie des gisements peut présenter des énigmes, de singuliers déplacements de couches ou d'objets, qui s'expliquent par des faits plus récents d'occupation du sol. Enfin, cette recherche permet d'obtenir des critères d'authenticité et même d'éviter la création de sites gallo-romains imaginaires, sur le vu de débris portés loin de leur emplacement primitif. On est en droit de parler de *lois* pour la formation des gisements gallo-romains.

Par exemple, les statues gallo-romaines n'ont pas été trouvées n'importe où, mais, au contraire, dans des conditions bien déterminées, et d'abord, certes, dans des ruines et champs de décombres, où quelquefois elles avaient été groupées en vrac par les occupants postérieurs, pour s'en débarrasser (Chiragan, Haute-Garonne) ou en vue de leur passage au four à chaux (Saint-Bertrand-de-Comminges, Haute-Garonne). Cependant leur caractère artistique et très souvent sacré leur a valu d'être parfois transportées au loin par l'homme, volontairement, puisque leur volume et leur poids les empêchaient d'être déplacées par les eaux courantes et de passer inaperçues au cours de travaux de terrassement. Les statues isolées ont donc pu être dissimulées par des fidèles du paganisme, dans un but de sauvegarde et, dans ce cas, elles sont intactes. Ailleurs, inversement, elles ont été martelées par les chrétiens et jetés dans des étangs ou des marécages, la face contre le fond (Apollon d'Entrains (Nièvre), peut-être les assises de bas-reliefs des Fontaines-Salées, trouvées dans un ancien lit de la Cure) : elles sont alors à une assez grande profondeur à un niveau stratigraphique précis. D'autres enfin ont été réemployées, peut-être après découverte, comme vulgaires moellons ou, sort plus heureux, comme éléments décoratifs, devenant parfois même des monuments populaires de cités («Pépézuc» à Béziers, le «Jeûneur de Notre-Dame», jadis sur le Parvis Notre-Dame de Paris). Mais comment une Vénus en marbre, mutilée, pouvait-elle se trouver absolument isolée, à faible profondeur, au milieu d'une terre végétale homogène, dans le champ de Brizet, à Estrat, commune de Saint-Just-sur-Loire (Loire), où un labour la fit découvrir le 28 avril 1937 ? Elle fut jugée authentique, jusqu'au jour où le sculpteur Crémonèse révéla et prouva une supercherie publicitaire : il était l'auteur de cette Vénus qu'il avait mutilée, puis enterrée l'automne précédent. On aurait dû remarquer que la statue était dans des conditions de gisement anormales et des plus suspectes...

Les enfouissements dans les villes n'offrent pas non plus de mystère. Les couches superposées dans les sites urbains montrent une évolution partout constatée, aussi bien à Paris qu'à Périgueux ou à Strasbourg. Après chaque destruction de la cité ou, plus simplement, après des démolitions locales, les décombres n'étaient pas évacués, mais étalés sur place ; ce remblai, composé de cendres, moellons, tuiles, objets écrasés, servait de base aux nouvelles constructions. Ce n'était pas pour s'éviter le travail d'évacuation : la présence fréquente de déchets non brûlés et même de terres apportées montre, au contraire, un souci d'exhausser le sol, avant tout pour mettre les nouvelles constructions à l'abri des inondations. Les fouilles de M.

Jean-Jacques Hatt à Strasbourg ont révélé douze couches gallo-romaines superposées, succédant à deux protohistoriques : le sol d'*Argentorate* a monté de 3 à 4 mètres des origines au IVe siècle, puis de 2 mètres ensuite.

En dehors de toute destruction, la croissance irrésistible de villes a exigé des comblements et remblayages systématiques, pour faire disparaître des dépressions (à l'orchestre du théâtre de Lyon, le remblai atteignait 14 mètres d'épaisseur), des marécages ou lutter contre le danger des inondations (à Paris par exemple). Les déchets de la ville fournissaient abondamment le remblai nécessaire. De même, les berges marécageuses des anciens ports et leur couche gallo-romaine, leurs petits bassins éventuels ont été recouverts par les terre-pleins des quais plus récents (Vieux-Port de Marseille, port de Genève sur le lac Léman).

Le développement des villes au cours des âges appelle une remarque : l'enfouissement de type urbain ne se constate que dans la zone constamment bâtie depuis l'Antiquité, zone très resserrée au IVe siècle. Sur de vastes parties abandonnées de villes gallo-romaines, la formation du gisement a donc pu être de type rural avant la reconquête par la ville de ces emplacements, au Moyen Age, ou plus récemment. Paris offre un exemple très net à cet égard : la ville gallo-romaine de la Montagne-Sainte-Geneviève, sur la rive gauche de la Seine, délaissée sous le Bas-Empire, ne fut réoccupée que lentement par les constructions et les «clos». A l'exception des thermes de Cluny, les ruines des édifices et des habitations, les arènes, les cimetières Saint-Marcel et de la rue Pierre-Nicole, avaient disparu sous les cultures : sous le remblai urbain, vieux déjà de plusieurs siècles, on retrouve les couches caractéristiques des gisements ruraux, telles qu'elles seront plus loin décrites. Une seule différence : le remblai rapporté, ayant le plus souvent été constitué ici par les ordures de la ville voisine, est riche en débris du Moyen Age (céramique notamment).

R. Dauvergne,
«L'enfouissement des gisements gallo-romains», dans *Hommages à Albert Grenier*, Bruxelles, 1962

C oupe indiquant la stratification de voies antiques et médiévales à Beauvais.

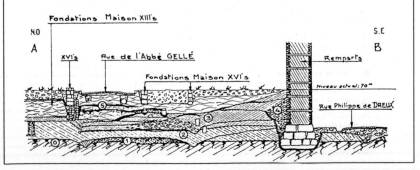

Le rôle des institutions

Les institutions, des académies de l'Ancien Régime aux circonscriptions archéologiques, en passant par les sociétés savantes du XIXe siècle, le Comité des Travaux historiques ou la Commission de topographie des Gaules ont joué un rôle fondamental dans l'histoire de l'archéologie nationale : coordination de la recherche, diffusion des connaissances, encouragement, financement et contrôle des fouilles.

L'Académie d'architecture

Les architectes, soucieux d'aller chercher leurs modèles aux sources les plus authentiques de l'Antiquité, ont compté parmi les premiers spécialistes de l'archéologie monumentale. Même si les monuments de la Gaule romaine ne les ont pas inspiré autant que ceux de l'Italie ou de la Grèce antiques, l'Académie d'architecture s'est à plusieurs reprises intéressée à leur connaissance et à leur conservation, comme en témoigne ce «Supplément aux règlements de l'Académie».

Les correspondants sont priés de faire part à l'Académie des projets qu'ils exécutent, si ces projets sont de quelque considération :

D'envoyer les dessins des édifices remarquables, des observations sur l'architecture des pays qu'ils habitent, sur la variété des constructions, et sur les sujettions qu'entraînent la différence du climat, l'excès de la chaleur ou du froid, l'intempérie ou l'inconstance des saisons.

Ils sont priés de faire et d'envoyer des dessins des monuments anciens, des parties remarquables de ces monuments, d'y joindre des mémoires sur leur construction, sur leurs matériaux, sur la nature de ces matériaux, sur la manière dont ils ont été employés et dont ils le sont à présent ; enfin, sur tout ce qui peut augmenter les connaissances propres à l'architecture.

S'il paraît quelqu'ouvrage nouveau dans l'architecture et dans les arts qui lui sont analogues, comme peinture, sculpture, etc. S'ils ont connaissance de quelqu'invention, de quelques procédés particuliers relatifs aux arts, ils sont priés d'en donner des notices, même des dessins, de porter leurs jugements sur ces ouvrages et d'en nommer les auteurs.

Si le correspondant fait ou apprend de

nouvelles découvertes ou des observations utiles sur les parties qui regardent les sciences et les belles-lettres, l'Académie le prie de vouloir bien les joindre à ses mémoires sur l'architecture.

Les profondes excavations pour tirer des matériaux, pour asseoir les fondements des grands édifices, pour la construction des ponts et des aqueducs, sont autant de moyens pour connaître les métaux, les minéraux et les différentes couches dont est composée la première enveloppe de la Terre, qui sous les différentes zones peut varier singulièrement, et cette connaissance n'est point étrangère à l'architecture, puisque les évaporations de la Terre rendent plus ou moins salubres les terrains sur lesquels on édifie.

Dans les dessins des monuments anciens, le correspondant est prié d'en copier les inscriptions, de rappeler la tradition du pays, de faire des recherches sur le temps où ces monuments ont été élevés, sur les motifs qui les ont fait construire. C'est servir à l'histoire et à la connaissance de l'Antiquité, dont quelques pas tracés sur la surface de la Terre, et à demi effacés, peuvent arrêter les regards de l'artiste et occuper ceux du savant.

Les observations d'un homme qui a toujours le compas et le crayon à la main, doivent être plus justes et se revêtir de formes plus certaines.

Lorsque l'Académie sera consultée par le correspondant sur ce qui concerne l'art de l'architecture, il sera aussitôt nommé des commissaires, à l'effet de le satisfaire sur ce qu'il demandera.

Ces mémoires un jour imprimés, sous les yeux et par les soins d'un Académicien nommé à cet effet, peuvent être utiles aux pays mêmes qui fourniront ces observations.

Extrait des registres de l'Académie Royale d'Architecture, ce lundi 24 juillet 1769

La fondation de la Société archéologique de Sens

Fondée en 1844, elle peut servir d'exemple. A l'origine des juges, des professeurs, des ingénieurs figurent dans son bureau. Elle s'est formée, principalement, pour répondre à un problème particulier : c'est à cette époque que la démolition partielle de l'enceinte du Bas-Empire provoque l'extraction de nombreux fragments d'architecture antiques, de sculptures, de stèles funéraires, dont il convient d'assurer la conservation et l'étude.

Aucune époque n'a été, plus que la nôtre, féconde en recherches historiques ; jamais recherches n'ont été aussi riches en aperçus lumineux. On ne s'est plus contenté de recueillir, de coordonner, d'approfondir les annales, les chroniques, les archives, les traditions poétiques et populaires : on les a confrontées encore avec les éléments des langues, avec les monuments, avec tout ce qui pouvait porter témoignage pour ou contre leur authenticité, et de cette épreuve, il est résulté qu'on les a rectifiées, complétées, souvent même reconstruites à l'aide de matériaux empruntés à la linguistique et à l'archéologie.

Le but auquel tend ce mouvement des idées est bien propre à stimuler l'activité des plus nobles esprits. Lorsque l'on contemple les temps écoulés, on ne cherche pas seulement dans les écrits qui nous en ont transmis les souvenirs, des récits attrayants ou des enseignements vagues que les passions et la diversité de point de vue puissent modifier à l'infini ;

S tèles funéraires gallo-romaines réemployées dans le rempart du Bas Empire de Sens, et découvertes lors de sa destruction partielle au milieu du XIXe siècle.

mais on veut concentrer les lueurs vacillantes que nous a laissées le passé en un faisceau assez ferme, assez puissant pour éclairer la marche des divers peuples qui nous ont précédés, pour dévoiler à nos regards la cause unique d'où découlent la multitude des effets, pour nous initier aux secrets de cette pensée providentielle que l'on démêle toujours au fond des agitations humaines. En un mot on veut réduire l'histoire à des principes fixes sur lesquels se repose l'avenir.

Jusqu'à ce que cette aspiration ait conduit au degré de certitude qu'il a été donné aux facultés humaines d'espérer et d'atteindre, il n'est point de document qui n'ait sa portée ; il n'est point de localité, ayant eu vie, qui ne soit à même d'offrir son humble tribut à l'immense collection de faits dont la discussion peut amener à la connaissance de la vérité.

C'est donc un devoir pour les hommes studieux, qui habitent une contrée historique, d'explorer leur sol, d'interroger leurs vieux édifices et de publier modestement leurs découvertes, dussent-ils laisser à de plus habiles, le soin d'en déduire les conséquences.

Telle est la pensée principale qui a présidé à la création de la Société archéologique de Sens.

M. Giguet, «De la formation et des travaux de la Société», dans *Bulletin de la Société archéologique de Sens*, 1846

La Commission de Topographie des Gaules

A l'origine de la Commission de topographie des Gaules, il y a un travail conçu et entrepris par Napoléon III qui, vers 1855, se penche sur les campagnes de César en Gaule dans le but d'écrire une histoire du «général» romain. Et c'est

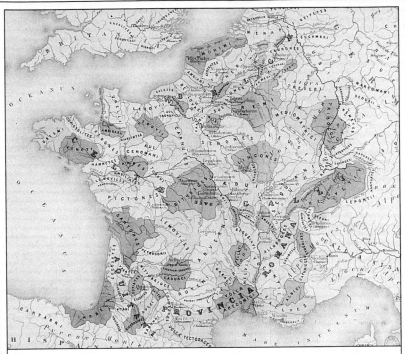

Carte de la Gaule établie d'après les travaux de la Commission de topographie des Gaules.

d'abord d'une carte de la Gaule antique qu'il s'agit. Sous la présidence de F. de Saulcy, avec A. Maury, directeur des Archives nationales, et A. Bertrand comme secrétaires, la Commission de topographie des Gaules, instituée le 17 juillet 1858, va rapidement se mettre au travail, animée par de nombreux militaires (le général Creuly, le colonel de Coynart, le colonel Stoffel). La grande fouille sera celle d'Alésia, à partir de 1861.

Dans sa constante sollicitude pour les intérêts de la science et pour tous les travaux qui peuvent honorer notre pays,

l'Empereur a exprimé, il y a quelques mois, le désir qu'on exécutât un grand travail d'ensemble sur la topographie des Gaules jusqu'au Ve siècle. La domination romaine n'a pas laissé sur le sol de la France des empreintes moins profondes que dans notre langue et nos institutions. Les divisions administratives se sont perpétuées jusqu'à nos jours dans les circonscriptions ecclésiastiques ; les chefs-lieux de province sont restés des villes florissantes ; les cités sont devenues des évêchés ; les villes fortifiées, les stations militaires, les camps retranchés que le peuple appelle toujours les camps de César, font encore l'admiration de la stratégie moderne ; les grandes voies militaires et commerciales qui sillonnaient les Gaules ont souvent donné le tracé de nos routes et fournissent de précieuses indications à nos ingénieurs ; les voies moins importantes, abandonnées pendant longtemps à la vaine pâture, deviennent aujourd'hui des routes départementales ou des chemins de grande communication. Ces travaux gigantesques, qui firent de la Gaule une autre Italie, ont bravé douze siècles d'insouciance et maintenu le territoire dans les conditions indispensables pour la vie d'un grand peuple ; mais ils ne pouvaient suffire aux besoins des temps modernes, et chaque année voit disparaître quelques vestiges de ces monuments de notre histoire, quelques débris de cette antique civilisation : encore un siècle, et, dans la plus grande partie de la France, il ne restera de l'œuvre des Romains que quelques traditions, quelques légendes, et un assez grand nombre de désignations locales.

L'empereur n'a pas voulu qu'on différât plus longtemps de fixer tel souvenir d'un grand bienfait, et que, pour acquitter une dette nationale, on attendît le jour où la dernière voie romaine aura disparu : Sa Majesté a désiré que l'on entreprît immédiatement pour la Gaule romaine ce que Cassini a fait au XVIIIe siècle pour la France de l'ancienne monarchie, ce qui a été accompli de nos jours, avec un zèle si persévérant et une si grande précision, par le corps Impérial d'Etat-major.

Circulaire sur la création de la Commission de topographie des Gaules, rédigée le 27 novembre 1857, Archives nationales

Monsieur le Ministre

Depuis le dernier rapport que j'ai eu l'honneur de vous adresser sur les travaux relatifs à la carte des Gaules, la Commission que je préside a poursuivi avec la même ardeur, la même assiduité, le cours de ses recherches. Elle était déjà, lors de mon précédent rapport, en possession de la majeure partie des éléments nécessaires pour dresser la carte des Gaules au temps de la conquête de César. Plusieurs points importants restaient cependant encore à examiner. Tous les renseignements relatifs aux mouvements dits celtiques, aux tumulus, à la découverte de monnaies, d'armes et d'objets gaulois, n'avaient point été recueillis, et par conséquent n'avaient pu être contrôlés. La Commission a complété, autant que possible, son répertoire d'indications. Elle a porté sur la carte toutes celles qui lui avaient paru exactes et précises, réservant pour le texte explicatif qu'elle prépare les détails archéologiques ou topographiques qui n'étaient pas susceptibles d'être clairement notés par un signe, détails dont la multiplicité eût d'ailleurs surchargé la planche. Les indications nécessaires à l'intelligence de la topographie des Gaules sont en effet, Monsieur le Ministre, bien plus nombreuses qu'on ne l'aurait supposé de prime abord ; et pour leur donner à toutes une place, il eût fallu adopter une échelle démesurée. Il nous a paru suffisant de marquer nettement les groupes principaux et les monuments les plus remarquables.

Entre les questions qui se rattachent aux campagnes de César, il en était sept qui réclamaient une nouvelle étude et une discussion plus approfondie.

1° La nature et l'emplacement du retranchement que César avait fait élever le long du Rhône, non loin de Genève, et mentionné au premier livre des «Commentaires». Ce problème avait été déjà poursuivi par bien des archéologues français et suisses, mais aucune solution ne s'offrait avec un caractère suffisant de vraisemblance. Un premier voyage fait dans la contrée où doit être incontestablement cherché l'emplacement de l'ouvrage romain, m'avait laissé quelques doutes sur l'opinion à adopter. Des circonstances indépendantes de ma volonté ne m'avaient point permis d'explorer suffisamment le terrain.

M. Alexandre Bertrand, membre de la Commission, y est retourné depuis sur mon invitation ; il a reconnu tous les points où l'on pouvait placer le retranchement de César, après avoir préalablement consulté M. le Général Dufour, si compétent en cette matière. Ses observations se sont trouvées d'accord avec les miennes. Nous croyons avoir réussi à fixer de la manière la plus probable l'emplacement cherché. Des fouilles seules ou quelque révélation, due au hasard, pourront asseoir définitivement la décision à prendre sur cette intéressante question. J'ajouterai incidemment, Monsieur le Ministre, que M. Bertrand a profité de ce voyage pour se mettre, au nom de la Commission, en relation avec les principaux archéologues de la Suisse. Cette contrée faisait partie de l'ancienne Gaule, et nous devons aux communications obligeantes des antiquaires qui l'habitent, une foule de renseignements, grâce auxquels l'Helvétie figurera sur votre Carte, avec cette même richesse d'indications que vous remarquerez en d'autres régions. M.M. Keller, de Zurich, Troyon et Blanchet, de Lausanne, H. Fazy, de Genève, ont particulièrement répondu à notre appel ;

2° Le champ de bataille où César défit les Helvètes. De nombreux tumulus avaient été signalés sur les hauteurs qui dominent la plaine de Cussy-la-Colonne (Côte d'Or), notamment sur les Chaumes d'Auvenay. C'est là que l'étude du texte des commentaires nous conduisait à placer la mémorable action qui ouvre pour ainsi dire les campagnes de César dans les Gaules. Persuadé que des fouilles pratiquées en cet endroit fourniraient des résultats intéressants, j'ai fait effondrer l'automne dernier une vingtaine de tumulus ; mon attente n'a point été trompée. Les travaux que je dirigeais moi-même ont mis au jour des objets d'un caractère tout particulier et bien propres à confirmer nos premières appréciations. Ces objets sont en effet identiques aux produits de l'industrie des anciens Helvètes, retirés des lacs de la Suisse, et dont on ne possédait nulle part ailleurs l'analogue. Les tumulus d'Auvernay recouvrent donc, selon toute vraisemblance, les restes mortels d'une tribu helvétienne, et nous sommes plus autorisés que jamais à placer dans les environs le lieu où la nation émigrante fut vaincue par César.

Fr. de Saucy,
«Deuxième rapport sur les travaux de
la Commission de topographie des
Gaules», 21 août 1861,
Archives nationales

Le financement des fouilles

L'ampleur que prennent certaines fouilles archéologiques au cours du XIXe siècle pose le problème de leur financement. Déjà à la fin du XVIIIe siècle P. Cl. Grignon, au Châtelet, avait été aidé par l'Académie. Au début du XIXe siècle, les fouilles des Martres-Tolosanes le sont par l'État et la ville de Toulouse.

Napoléon III tire de sa cassette de quoi travailler à Alésia ou à Bibracte. C'est alors que se met en place un véritable système de financement. Un rapport de la Commission de Topographie des Gaules, dépendant du ministère de l'Instruction publique, Rupricht-Robert obtient 1 500 francs. En 1906, 8 000 francs sont alloués pour les fouilles d'Alésia.

Après la Première guerre se met en place, au sein de la Commission des Monuments historiques, une «Section des fouilles». Dans les années 1930 les

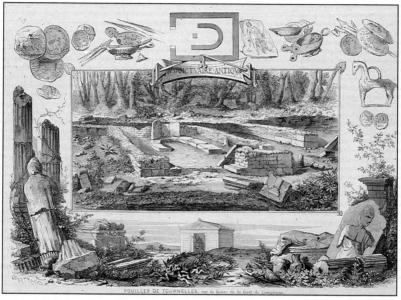

FOUILLES DE TOURNELLES, sur la lisière de la forêt de Compiègne.

indique que de 1858 à 1872 des «allocations de recherche» ont été attribuées dans 26 départements.

A partir de la fin du XIXe siècle le Comité des Travaux historiques et la Commission des Monuments historiques accordent quelques crédits, par l'intermédiaire des sociétés savantes. De 1890 à 1898 la Société Archéologique du Midi de la France reçoit 1 000 francs par an (mais davantage de la Ville de Toulouse et du Département de la Haute-Garonne) pour le chantier des Martres-Tolosanes. En 1903-1906, pour les fouilles d'Izernore (Ain), l'architecte

sites de Vertault (Vertillum, fouilles de H. Lorimy, 3 000 francs en 1933), d'Ensérune (fouilles de J. Jannoray, 40 000 francs en 1935), de Vienne (fouilles de J. Formigé au théâtre, 40 000 francs en 1935), de Glanum (fouilles de H. Rolland, 20 000 francs en 1935), de Vaison (fouilles de J. Sautel, 10 000 francs en 1935), de Bavai (fouilles de l'abbé Biévelet, 15 000 francs en 1935) sont celles qui émargent le plus souvent, mais sans comparaison avec celles de Saint-Bertrand-de-Comminges (entre 100 000 et 200 000 francs par an de 1929 à 1935). Comment ces sommes sont-elles utilisées ? A Saint-Bertrand-de-Comminges elles sont consacrées à l'achat de terrains, de matériel de fouille, au paiement des ouvriers, à l'aménagement du musée, aux frais photographiques, à la formation d'une bibliothèque archéologique.

créé un corps d'inspecteurs rémunérés (des professeurs d'université). C'est déjà l'idée des «circonscriptions archéologiques».

Mais cette idée devra attendre le gouvernement de Vichy, et il faut bien l'avouer, l'exemple allemand en

F ouilles dans le terrain Pomian à Saint-Bertrand-de-Comminges, lors de la campagne de 1933-1934.

La loi de 1942

A partir de 1937 le relais du financement est pris par la Caisse Nationale de la Recherche Scientifique, puis par le CNRS. Car le besoin d'une organisation stable s'est fait ressentir. En 1933 des membres de la Société des Etudes Latines (J. Carcopino, A. Grenier, Ch. Picard, J. Toutain) demandent au ministre de l'Instruction publique l'organisation d'un véritable service des Antiquités, comme la France en entretient en Syrie (alors protectorat français), ou qu'au moins soit

l'occurrence. On retrouvera naturellement Carcopino et Grenier à l'origine de ce projet, comme aussi M. Dussaud, tous membres de la XVème commission du CNRS chargée des fouilles archéologiques.

La législation de Vichy tient en deux lois. Celle du 27 septembre 1941 (validée par ordonnance le 13 septembre 1945) interdit toute fouille sans autorisation. Celle du 21 janvier 1942 découpe la France métropolitaine en circonscriptions archéologiques (historiques et préhistoriques) avec à la tête de chacune d'elle un directeur qui instruit les demandes d'autorisation de fouilles et celles de subventions, dirige ou surveille les chantiers, coordonne l'activité des sociétés locales. Une circulaire de P. Pucheu, ministre de l'Intérieur, et de Carcopino, secrétaire d'Etat à l'Education nationale, éclaire les fondements idéologiques de cette législation, notamment l'idéologie régionaliste qui dominait la politique culturelle de Vichy et le culte de la regénérescence propre à la «Révolution nationale».

Un budget pour les fouilles est arrêté pour 1942 : 1 059 000 francs. Dès 1942 la publication d'une revue diffusant les rapports de fouilles est prévue. En 1943, effectivement, naîtra «Gallia», qui paraît toujours.

Vichy, le 16 avril 1942
.Le Ministre Secrétaire d'Etat à l'Intérieur,
Le Secrétaire d'Etat à l'Education nationale et à la Jeunesse,
à Messieurs les Préfets régionaux,

La loi N° 90 du 21 janvier 1942, (Journal Officiel du 14 février 1942) a pour objet la coordination des recherches archéologiques. Ce texte opère une répartition du territoire métropolitain en deux séries indépendantes de circonscriptions archéologiques : l'un pour les antiquités préhistoriques, l'autre pour les antiquités historiques et il place à la tête de chacune de ces circonscriptions archéologiques un Directeur des Antiquités. Celui-ci peut, d'ailleurs, être de façon temporaire, placé à la tête de plusieurs circonscriptions ; l'article 10 de la Loi précitée prévoit, en outre, que chaque Directeur des Antiquités peut déléguer, pour quelque temps, ses pouvoirs, dans diverses localités déterminées de sa circonscription, à telle personne qu'il

présentera à l'agrément du Secrétaire d'Etat à l'Education et à la Jeunesse.

Le territoire de la France métropolitaine est, pour les antiquités préhistoriques, réparti en 6 circonscriptions archéologiques, et pour les antiquités historiques (celtiques, grecques et gallo-romaines) en 15 circonscriptions, par les arrêtés des 12 février 1942 et 27 mars 1942. Les directeurs des Antiquités correspondant à ces 21 circonscriptions, ont été nommés suivant arrêté du Secrétaire d'Etat à l'Education nationale et à la Jeunesse, en date du 27 mars 1942.

Les attributions de ces Directeurs et de leurs délégués s'exercent sur de vastes zones du territoire et sont aussi importantes que diverses instructions des demandes d'autorisation de fouilles ; orientation et coordination de l'activité des Sociétés locales d'histoire archéologique ; instruction et transmission des demandes de subvention pour les recherches ; publication des travaux de ces sociétés, propositions relatives à l'exploitation scientifique de fouilles et à la conservation des vestiges et objets découverts ; inspection des musées archéologiques de la circonscription. Mais l'activité des Directeurs des Antiquités ne s'exerce par sur le seul plan de l'administration et du contrôle, elle revêt un caractère plus direct ; le Directeur ou son délégué peut, dans toute l'étendue de sa circonscription, diriger lui-même les fouilles archéologiques, surveiller les chantiers ouverts et diriger ces chantiers dans le cas prévu par l'article 4 de la loi du 21 janvier 1942.

Des travaux ne peuvent, de toute évidence, être menés à bien que dans la mesure où seront données aux Directeurs des Antiquités et à leurs délégués, des facilités de circulation dans les circonscriptions où ils ont été nommés ; la surveillance et la direction des chantiers, notamment, rendent indispensable l'octroi de ces facilités de déplacement.

Le préfet régional, dans la circonscription duquel un Directeur des antiquités préhistoriques ou historiques aura installé le centre principal de ses recherches archéologiques, voudra bien, en conséquence, mettre chaque mois, à la disposition de ce directeur, un bon d'essence de 15 litres. Le remboursement de ces bons sera assuré aux Directeurs des Antiquités par les soins du Centre National de la Recherche Scientifique, ainsi qu'il est prévu à l'article 9 de la Loi de janvier 1942. Les délégués des Directeurs des antiquités préhistoriques ou historiques recevront dans les mêmes conditions – c'est-à-dire, au lieu où ils exerceront principalement les pouvoirs qui leur auront été confiés – des bons d'essence de 10 litres.

Il convient de souligner, que les travaux confiés aux Directeurs des Antiquités ou à leurs délégués, en même temps qu'ils concourreront efficacement à l'enrichissement du patrimoine historique et artistique national, ne manqueront pas d'avoir également l'effet le plus heureux là où ils seront entrepris

et développés. L'élite intellectuelle de nos villes – facteur essentiel de la vie régionale – leur devra, en effet, de mieux connaître l'origine profonde, l'histoire et la culture des générations qui ont donné leur caractère propre à la vie des provinces françaises et elle y pourra puiser les éléments d'une vitalité accrue et d'une activité neuve. Le marché local du travail sera, d'un autre côté, le premier bénéficiaire de la multiplication des chantiers de fouilles et de restauration des monuments historiques.

Ainsi, la mise en œuvre pratique de la loi du 21 janvier 1942, grâce aux concours de M.M. les Préfets régionaux, est de nature à servir aussi efficacement le renom des études archéologiques en France que le renouveau des réalités provinciales.

Monsieur le Ministre, Secrétaire d'Etat à l'Intérieur, Signé : Pierre Pucheu
Monsieur le Secrétaire d'Etat à l'Education nationale et à la Jeunesse, Signé : Jérôme Carcopino, Archives nationales,

Fouilles dans le terrain Barouse à Saint-Bertrand-de-Comminges, lors de la campagne de 1935.

Les découvreurs

Rare en évènements sensationnels, la découverte archéologique de la Gaule s'est écrite grâce à la ténacité de savants souvent modestes, à l'ombre des cabinets ou au grand air des chantiers. Cependant, quelques-uns d'entre eux émergent, par leur génie ou leur intuition.

Pierre-Clément Grignon et le Châtelet

Grignon (Saint-Dizier 1723-Bourbonne-les-Bains 1784) maître de forges et fabricant de canons, auteur de nombreux mémoires scientifiques, fut le fouilleur du Châtelet.

Nous commençâmes les fouilles en 1772 [au printemps], par un endroit où le terrain était légèrement enfoncé. Après avoir enlevé deux pieds et demi de décombres, l'on rencontra la margelle d'un puits de trois pieds et demi de diamètre bien muré, l'on établit un treuil au-dessus, et il fut vidé jusqu'à trente-six pieds de profondeur sans avoir trouvé le fond. Pendant ce temps nous fîmes tenter quelques fouilles isolées dans des terres incultes ; nous y découvrîmes des aires de chambres composées de ciment, l'angle d'un mur épais, des caves où l'on voyait l'empreinte du feu d'un fort incendie. Ces fouilles nous produisirent des portions de vases, des instruments destinés aux sacrifices, un ex-voto, des os des victimes, des briques d'une forme particulière, des portions d'aqueducs, des verreries, des fragments de miroirs métalliques, des cuillers pour les parfums, des couteaux, partie d'un collier de femme, une clef antique, des fibules, enfin beaucoup de médailles Gauloises et Romaines de différents modèles, en argent, en bronze de fourée et de faulcée, dont beaucoup de frustes.

Lorsque nous eûmes fait les premières tentatives qui portaient la conviction de nos présomptions, des opérations de commerce nous obligèrent de suspendre nos travaux.

[...] Munis de cette autorité [acquise du roi grâce à l'Académie des inscriptions et belles-lettres], nous avons commencé par creuser dans toute l'étendue du grand diamètre de la montagne, une tranchée de trois pieds de largeur, sur une profondeur variée, et une seconde dirigée dans le petit diamètre, laquelle croisait à angle droit la première.

Par cette opération, nous avons reconnu que toute la surface du Châtelet avait été habitée, même qu'il y avait eu des maisons situées jusques sur le genou de la montagne. Au point d'intersection des lignes que traçaient ces deux tranchées, et qui était le centre de toute la surface, s'est trouvé le Temple Ædes, que nous décrirons, et dans lequel il s'est trouvé une piscine, des fragments de statues, des vases, des morceaux de corniche sculptée et des fûts de colonnes provenant tant du péristyle extérieur, que du pourtour de la pièce quarrée, une patère et plusieurs pièces de monnaie. Dans un petit ædicule qui n'était pas éloigné, nous trouvâmes plusieurs statues palmaires en bronze, un autel, des foyers ; dans des caves, des statues de différentes divinités fort mutilées, une fonderie, un fourneau de bain, un four à potier, des puits, des citernes en très grand nombre, desquelles nous avons tiré beaucoup de vases en terre de diverses couleurs, de formes variées et appropriées à différents usages, des clefs, beaucoup d'ossements et d'instruments des arts. Nous dessinâmes toutes ces pièces sur 80 planches in fol.

[...] Il paraît que les particuliers les plus riches, ou les plus religieux, avaient chacun leur temple souterrain : ces ædicules presque tous de la même forme, mais plus ou moins spacieux, ont une étendue de 7 sur 8 pieds, et de 9 sur 15. L'on y descend par un escalier en pierres ; chaque marche, souvent très usée, même des deux faces, ayant été retournée, a de 7 à 9 pouces de haut sur dix pouces de saillie : elle est d'une seule pierre. Un larmier artistement fait, pour favoriser la divergence des rayons de la lumière, éclaire l'escalier, au pied duquel est une porte, dont l'embrasure est composée de quatre pierres seulement, lesquelles sont les deux jambages en placard, le seuil et le linteau. Cette porte communique à un porche (*pronaos*), de quatre pieds de largeur sur douze pieds de longueur, faisant un retour d'équerre avec l'alignement de l'escalier. Ce porche reçoit du jour par le larmier qui éclaire l'escalier en face du palier ; il est terminé par une seconde porte, composée comme la première, et qui affleure l'angle du mur de l'intérieur de l'ædicule, qui fait un autre retour d'équerre avec l'alignement du porche. Les murs du contour de ces petits temples sont élevés en belle maçonnerie de pierre de taille du pays, équarrie sur l'échantillon de 5 à 7 pouces de hauteur, sur 8 à 10 pouces de longueur : ils sont à un simple parement, parce qu'ils sont adossés au massif de la montagne, composé de bancs de pierre. Ces murs sont ou crépis et peints à fresque en grand compartiment de couleurs variées ; ou il règne sur les jointures des pierres, un petit cordon de mortier tiré à la règle. Deux larmiers donnent du jour dans ces lieux sacrés. L'on y voit au levant des embrasures pratiquées dans l'épaisseur des murs : elles ont de 3 à 4 pieds de largeur, et sont élevées de 3 à 4 pieds au-dessus du sol. En face de ces embrasures, on trouve des autels accompagnés de plusieurs foyers de formes variées, des lampes et des statues de diverses divinités, au culte desquelles ces temples étaient consacrés. Il ne s'est trouvé qu'un seul de ces ædicules voûté ; tous les autres souterrains ne l'ont point été.

Les caves se distinguent facilement des ædicules, en ce que :

1° L'escalier vient aboutir à

l'affleurement des murs qui les forment, n'y ayant point de porche intermédiaire.

2° Il n'y a point d'embrasures pratiquées dans les murs.

3° Les murs, quoique construits avec le même art et les mêmes matériaux, ne sont ni crépis ni peints. Ces caves sont éclairées par un ou deux larmiers, suivant qu'elles sont spacieuses.

P.-Cl. Grignon,
Bulletin des fouilles faites par ordre du roi, d'une ville romaine, sur la petite montagne du Châtelet, Bar-le-duc, 1774

Hubert Gautier, Henri Exchaquet et les voies romaines

Gautier (Nîmes 1660-Paris 1737), ingénieur, s'intéresse aux fortifications, à l'artillerie, aux ponts, aux eaux minérales, à la peinture, à la bibliographie et évidemment à l'archéologie (il est l'auteur d'une «Histoire de la Ville de Nîmes et de ses antiquités», 1720). Son «Traité de la construction des chemins» connut plusieurs rééditions (1715, 1750, 1755). Exchaquet (Lausanne 1742-1814), ingénieur et architecte, publia un des plus célèbres manuels de son temps sur les ponts et chaussées.

Par delà Langres en Champagne, et tout proche de cette ville, allant à Dijon, et en deçà, allant vers Châlons, j'y ai vu plusieurs restes des chemins des Romains, construits avec des précautions extraordinaires ; comme ils sont rompus en plusieurs endroits et effacés par le temps, je pris le profil des matières dont ils sont composés, en un endroit qui était coupé tout court et assez entier. Je trouvai 1° que ces chemins parcouraient ordinairement la crête des montagnes, pour n'être point traversés par aucune ravine. 2° que les matières dont on les avait composés pour les rendre solides, avaient été rangées dans une tranchée de la croupe de la montagne d'environ trois pieds de profondeur, d'où l'on avait apparemment enlevé la terre qui pouvait avoir servi d'accôtement, ou de chemin de terre à la route. 3° Dans le fond de cette tranchée on y voit un pavé de pierres posées de champ, un peu courbées de biais, les unes à côté des autres, d'environ 5 à 6 pouces de haut ; par où ils commençaient la fondation de leur voie. 4° Sur ce pavé règne un empierrement sur toute la largeur du chemin, fait avec de petites pierres grosses environ comme des œufs, qui plus, qui moins, d'environ 2 à 3 pieds de hauteur ; car il n'était pas possible d'en prendre bien au juste les dimensions à cause de la détérioration de la route en plusieurs endroits. 5° La largeur de la route était partagée en trois espaces, à peu près comme sont celles que nous faisons faire en deux accôtements de chemins de terre [...]. 7° Ce qui m'a surpris le plus dans l'examen de ce chemin, ça été d'où l'on avait pu tirer une si grande quantité de menues pierres blanchâtres pour composer cette route : on ne voit aux environs ni carrières, ni vaisseaux, ni rivières, ni terrains propres qui les produisent, à moins qu'on ne fît des sondes dans les terrains voisins, où l'on les pût trouver bien avant dans la terre, qui par succession de temps, peuvent être fermées, ou comblées.

Toutes ces précautions, pour assurer les grands chemins et les pavés des Romains, étaient sans difficulté d'une dépense immense. Il ne faut pas croire que cela fût général, puisqu'au commencement les rues de la Ville de Rome étaient pavées seulement de cailloux, et les grands chemins hors la ville étaient couverts de graviers.

H. Gautier, *Traité de la construction des chemins où il est parlé de ceux des Romains et de ceux des modernes*, Paris, 1693

On voit encore de nos jours quelques vestiges des chaussées que les Romains ont construites dans l'Helvétie ; elles sont pour l'ordinaire élevées de quelques pieds au-dessus des campagnes qu'elles traversent, et elles n'ont que 8, 10, 12, jusqu'à 16 pieds de large.

L'ancienne tradition nous sert quelquefois de guide dans la recherche des chemins qui ont été construits par les Romains ; nous trouvons aussi des preuves de leur antiquité dans les noms qu'ils portent encore de nos jours. Dès le Moyen Age, plusieurs chaussées construites par les Romains dans les Gaules, furent appelées l'*Estrée*, ou l'*Estraz*, *Stroeffel*, chemin pavé.

H. Exchaquet,
Dictionnaire des Ponts et Chaussées contenant un tableau des chaussées que les Romains ont construit dans l'Helvétie,
Paris, 1788

François Vatar de Jouannet et Ecorne-Bœuf

Vatar, seigneur de Jouannet (Rennes 1765-Bordeaux 1845) est considéré comme le «grand-père de la préhistoire» par ses recherches dans quelques sites du Périgord (dont la grotte Solutréenne de Begoule). Fils d'imprimeur et imprimeur lui-même, il fut ensuite professeur à Périgueux et bibliothécaire à Bordeaux. Il découvrit au-dessus de Périgueux (au lieu-dit Ecorne-Bœuf) un gisement néolithique qu'il crut naturellement gaulois. Néanmois il fut le premier à étudier avec attention les haches polies ou taillées et les pointes de flèche, et à distinguer les âges de la pierre taillée et de la pierre polie.

Dans mes rêveries, je me plaisais à relever les antiques édifices de Vésone, je rétablissais ses rues, je les peuplais d'une foule active et industrieuse ; je me représentais les soldats du camp appuyés sur leur lance et contemplant, de l'endroit même où j'étais, cette ville dont l'attaque ou la défense leur était confiée. D'autres fois, jetant les yeux sur la hauteur d'Ecorne-Bœuf, je me figurais ce poste occupé par des troupes ennemies du nom romain ; alors, épuisant ma folle tactique, je guerroyais à ma manière, et je livrais des combats terribles, affreux, mais qui ne coûtaient la vie à personne.

Profil de route et borne millaire romaine, d'après Gautier.

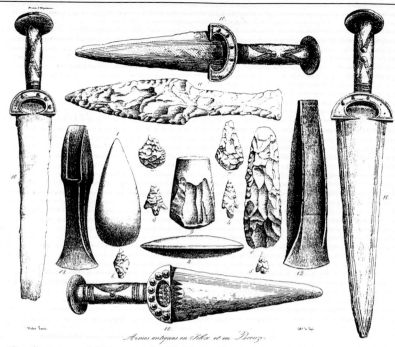

Outils et armes néolithiques ou protohistoriques découverts à Ecorne-Bœuf. Jouannet croyait que ces objets étaient gaulois.

Vous riez de mes songes ; j'en ris aussi à la réflexion : cependant ils m'ont conduit à des découvertes qui ne sont pas sans intérêt.

L'idée que des Gaulois avaient pu occuper le poste d'Ecorne-Bœuf, quand les Romains campaient sur celui de La Boissière, s'étant souvent présentée à mon esprit, je résolus de m'en délivrer, ou de la convertir en opinion par des recherches que je me proposais de faire sur le terrain.

Je visitais tout, j'étudiais tout. D'abord, je ne rencontrais que des débris romains : quelques paysans m'apportèrent même des médailles de Dioclétien et de Constance II trouvées,

disaient-ils, sur les lieux. Il n'en aurait pas fallu davantage pour me faire renoncer à mon idée, mais l'aspect noir et brûlé du terrain piquait encore ma curiosité. Ne songeant déjà plus aux Gaulois, je crus que je pourrais du moins, en faisant fouiller, découvrir quelque sépulture, quelque ustrinum encore ignoré. Je prends donc un manœuvre, et me voilà de creuser avec lui en différents endroits. Partout je trouvais la terre brûlée jusqu'au rocher, mêlée de beaucoup de cendres, de charbons, d'ossements d'animaux et de débris de vase de toute forme, de toute grandeur.

Je remarquais des différences essentielles entre les divers fragments de vases que mon homme déterrait ; dans quelques-uns, je reconnaissais la pâte et la fabrique romaine ; dans d'autres, j'apercevais une terre, des formes, enfin un travail tout différent ; ceux-ci m'offraient aussi le caractère d'une plus haute antiquité, caractère plus aisé à sentir qu'à décrire. Je me perdais en conjectures, quand tout à coup l'ouvrier retira de sa fouille une hache en pierre, d'un très beau poli. La partie antérieure manquait, mais l'instrument était reconnaissable. J'en fis remarquer la forme à mon travailleur, il crut se rappeler avoir vu des pierres ainsi figurées, dans ce même champ, où il est ordinairement occupé aux semailles et à la moisson. Je l'invitai à me les apporter si, dans la suite, il en rencontrait encore.

De là, je me rendis à une ferme voisine, et je montrai ma hache aux habitants du lieu, leur faisant la même invitation que j'avais faite à l'ouvrier. Comme lui, tous se rappelèrent avoir trouvé de ces pierres dans leurs cultures ; mais ignorant leur valeur, ils avaient négligé de les conserver.

J'appris d'eux une autre particularité. A deux pas de leur habitation et plus loin, à l'extrémité du bien, ils avaient trouvé des débris de forge ; c'est ainsi qu'ils s'expliquèrent. En preuve de leur assertion, ils me présentèrent des scories de cuivre, de l'émail antique d'un beau bleu, et un gros morceau informe de cuivre rosette, recouvert d'un très beau vernis. Ils me dirent que, l'année précédente, ils avaient retiré de leur fonds près de cinq livres de même cuivre, dont ils s'étaient défaits, ajoutant que l'on rencontrait assez souvent dans la terre des morceaux de cuivre travaillé et, à l'instant, ils m'en montrèrent plusieurs, parmi lesquels je reconnus des fibules d'un genre particulier, des anneaux d'un trop petit diamètre pour avoir servi de

bagues, des fragments d'anneaux beaucoup trop grands et de plus de deux pouces de diamètre ; les uns composés d'une baguette unie parfaitement ronde, les autres plats et quelquefois grossièrement ciselés. Je pris le tout, en priant la famille de recueillir soigneusement tout ce qu'elle trouverait de curieux. Je promis de revenir.

Dans d'autres visites qui suivirent de près la première, on me remit de nombreux fragments de haches, et de nouveaux bronzes, entr'autres l'extrémité d'un petit ciseau en cuivre, d'une trempe assez bonne. Plus tard, on me donna une hache entière, et trois autres aussi entières, mais qui n'étaient que dégrossies. J'ai retiré du même endroit quatre médailles gauloises en argent.

Extrait du
Calendrier de la Dordogne, 1814

Auguste Caristie et les monuments antiques du Midi de la France

Caristie (Avallon 1781-Paris 1862), architecte, Grand prix de Rome, membre de la Commission des Monuments historiques, consacra une partie de sa carrière à l'étude et à la restauration des monuments antiques (théâtres d'Arles et d'Orange, arc de triomphe d'Orange). Mais il se fit aussi archéologue, fouillant le sanctuaire gallo-romain du Montmartre (Yonne) ou interprétant brillamment les reliefs de la porte de Mars à Reims. Comme membre du conseil des Bâtiments civils il eut à rédiger de nombreux rapports.

La restauration complète de l'amphithéâtre d'Arles présentée par M. le Ministre de l'Intérieur et dont le projet rédigé par M. Questel [architecte] est soumis aujourd'hui au Conseil intéresse au plus haut degré tous les amis des arts. La situation du monument [l'amphithéâtre d'Arles] inspirait de sérieuses inquiétudes, et il était urgent d'assurer la conservation de cet admirable édifice qui a résisté depuis tant de siècles aux effets du temps et à la malice des hommes. On sent que par le mot de restauration complète, il ne faut pas entendre restitution de l'amphithéâtre dans son état primitif. L'architecte se conformant aux instructions qu'il a reçues, s'est borné à consolider toutes les parties encore existantes, à dégager le monument de constructions parasites qui l'obstruaient, à en rendre l'accès facile, enfin à y faire exécuter les travaux indispensables pour le conserver dans l'état où il se trouve aujourd'hui. Ce système nous paraît le seul qui fût à suivre. Le projet se divise en trois chapitres.

Dans le premier M. Questel s'est occupé des travaux de consolidation à proprement parler.

Le second comprend l'estimation des maisons qu'il est nécessaire d'acquérir pour dégager l'amphithéâtre.

Le troisième, enfin, a pour objet les travaux extérieurs propres à isoler le monument et à en faciliter l'accès.

Les mesures proposées pour la consolidation de l'édifice nous ont paru convenables. Elles sont d'ailleurs indiquées par la situation même. Ici, c'est un pilier rongé à sa base qu'il s'agit de rétablir, là c'est une arcade brisée dont il faut refaire les claveaux. Plus loin une voûte nécessite des réparations, ailleurs des crevasses doivent être bouchées. Tous ces détails ne présentent aucune difficulté sérieuse, et l'expérience de M. Questel nous garantit que les réparations seront conduites avec le souci et la prudence nécessaire à leur bonne exécution.

Des fouilles exécutées ont fait connaître une disposition singulière de l'arène. Le podium avait deux étages, si l'on peut s'exprimer ainsi, et il parut que tantôt un plancher couvrait l'arène, tantôt ce plancher étant enlevé, le niveau de l'arène était abaissé de plusieurs mètres. Ce n'est point ici le lieu de rechercher les motifs de cette disposition, nous n'avons qu'à la signaler, et à donner notre approbation du parti proposé par M. Questel de déblayer le sol de l'arène et d'en chercher le niveau inférieur.

Sur le premier chapitre du projet nous n'adressons qu'une observation à son auteur. L'enlèvement d'une partie des gradins laissant à découvert plusieurs voûtes, l'architecte, craignant les infiltrations et les accidents qu'elles occasionnent, propose de revêtir ces voûtes d'une couche de bitume et d'établir des gazons. Nous doutons fort de l'efficacité de ce moyen de conserver

les voûtes. A notre avis, il conviendrait avant tout de les couvrir d'un lait de chaux de façon à boucher parfaitement les interstices. Puis, au lieu de gazon, qui entretiendrait une humidité fâcheuse, nous pensons qu'il serait préférable de rétablir les gradins en pierre ou du moins les massifs en maçonnerie que les dalles de pierre recouvraient. Cette restauration très facile aurait le double avantage de préserver les voûtes antiques et de rappeler la disposition primitive de l'édifice. L'exécution serait plus ou moins lente, suivant les fonds dont on pourrait disposer. Il est inutile d'entretenir le Conseil des acquisitions de maisons qui seront abattues pour isoler l'amphithéâtre. Un coup d'œil sur le plan général suffira pour justifier les propositions de M. Questel.

Le troisième chapitre du projet nous a paru ne devoir donner lieu à aucune observation. Le terrain très accidenté présente quelques difficultés que M.

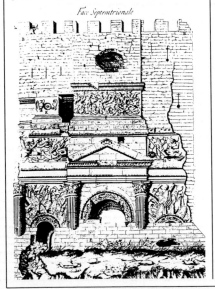

Face Septemtrionale

Questel nous semble avoir surmontées heureusement. Au sud-ouest les rues adjacentes de l'amphithéâtre sont à 6 mètres au-dessus du sol de l'arène, au nord, elle se traverse à un niveau plus bas de 5 mètres. D'abord M. Questel nivelle le sol à 12 mètres autour de l'amphithéâtre, de tous les côtés, excepté vers l'ouest où un fragment d'un aqueduc romain, vestige curieux qu'il fallait respecter, l'oblige à rétrécir le passage qu'il établit autour du monument. Puis des rues latérales, longeant l'espace vide et de niveau qui ceint l'amphithéâtre, seront pratiquées avec une pente régulière de 0,5 pour cent sur une largeur de 6 mètres, de manière à conduire au niveau le plus élevé. Dans une ville où il y a peu de voitures, et surtout dans un quartier où la population est rare, la largeur des rues nouvelles a paru suffisante et les rues seront d'ailleurs une amélioration très notable à l'état de choses actuel. Des murs de soutènement surmontés d'une balustrade en fer, borderont l'enclos de l'amphithéâtre partout où l'exigera la différence de niveau. Nous pensons que ces constructions doivent convenablement remplir leur objet. En résumé, le projet de M. Questel nous a paru mériter l'approbation du Conseil et nous en proposons l'adoption, sauf la réserve que nous avons faite sur les moyens à employer pour couvrir les portions de voûte antiques exposées aujourd'hui aux injures de l'air.

A. Caristie, P. Mérimée : Rapport au conseil des Bâtiments civils, du 27 janvier 1847, sur un projet de restauration de l'amphithéâtre d'Arles, Archives nationales

Jacques-Gabriel Bulliot et le Mont-Beuvray

Bulliot (Autun 1817-1902), négociant en vins, est le type même de l'archéologue amateur. Dès 1851, il s'intéresse au montBeuvray, mais ce n'est que plus tard, alors qu'il est Président de la Société Eduenne, qu'il y entreprend des fouilles et se persuade qu'il s'agit de Bibracte, capitale des Eduens.

On commençait, à la Société Eduenne, de s'intéresser au Beuvray, sans soupçonner ce qu'il cachait sous sa verdure. M.M. Bérieux et Jean Roidot acceptèrent la mission d'y lever le plan du camp romain. Un villageois des environs leur dit que s'ils étaient venus pour voir des terrassements, bien d'autres existaient dans les bois. Il leur fit suivre alors la grande enceinte cachée dans la forêt, que personne à Autun, il faut l'avouer, ne soupçonnait. Prévenu aussitôt je recommençai avec mes deux amis l'exploration de ces étranges retranchements ayant nécessité de prodigieux mouvements de terre. Ce n'était point là un ouvrage romain, mais le circuit d'une ville ignorée. Dans ma pensée, dès lors, ce ne pouvait être que Bibracte.

J'affirmai cette conviction en 1856, dans un volume intitulé : *Essai sur le système défensif des Romains dans le pays Eduen entre la Saône et la Loire.* La plupart des lecteurs n'attribuèrent à cette thèse que la valeur d'une excentricité archéologique ; elle passa pour ainsi dire inaperçue ; mais lorsqu'on apprit que l'empereur Napoléon III préparait une étude sur la Guerre des Gaules, la question se réveilla.

Sur ces entrefaites je reçus la visite du colonel Stoffel, alors commandant, chargé d'explorations diverses par Napoléon III.

«J'ai beau promener, me dit-il, mon compas sur la carte, à la distance indiquée par César, en prenant Autun pour pivot, je ne rencontre aucun terrain répondant aux indications des Commentaires.»

«Ce résultat est inévitable, répondis-je, vous ne trouverez l'emplacement qu'en partant du Beuvray, c'est-à-dire de Bibracte.»

Evidemment il ne prenait pas alors notre conversation au sérieux. Je ne l'ai jamais revu.

Quelque temps après, cependant, il se décida spontanément ou par ordre, je l'ignore, à aller au Beuvray et prit pour guide Xavier Garenne, membre de la Société Eduenne, domicilié près de Lyzy. Dans une rencontre précédente j'avais mis Garenne, par un long entretien, au courant de la question de Bibracte. Surpris d'abord, il s'y était intéressé avec son esprit ardent et n'avait pas tardé à visiter les lieux. Le commandant Stoffel trouvait en Garenne un guide compétent et put constater *de visu* que je lui avais indiqué la bonne voie, lors de notre entrevue. Converti par l'évidence, il remit à Garenne 200 francs, avec lesquels ce dernier fit au Beuvray, en trois jours, grâce à de nombreux ouvriers, des sondages qui rencontrèrent partout des murailles. Ils ont donné lieu à son livre intitulé : *Bibracte.*

Le vicomte d'Aboville, propriétaire de la presque totalité de l'enceinte gauloise, résolut, à l'automne suivant, d'entreprendre des fouilles, auxquelles il eut l'amabilité de me convier. Les résultats ne se firent pas attendre ; plusieurs maisons et, entre autres la bouche en pierre de taille de la division de deux aqueducs desservant la plus grande habitation découverte sur la montagne, furent mises au jour et attirèrent les visiteurs. Parmi eux figura

Mgr Landriot, archevêque de Reims, hôte momentané d'une famille amie, dans un château voisin.

L'Empereur, l'année suivante, étant au camp de Châlons, invita l'archevêque de Reims à venir y célébrer les saints offices, un dimanche. La question du Beuvray était alors à l'ordre du jour. L'archevêque fit part à Napoléon III de ce qu'il avait vu, exprimant la pensée que la reprise des recherches devait donner des résultats. «Je le ferais volontiers, reprit l'Empereur, mais je n'ai personne sous la main pour suivre un pareil travail.»Mgr Landriot lui dit alors qu'un de ses amis, familiarisé depuis dix ans avec la question de Bibracte, accepterait volontiers cette tâche, et me nomma; il m'avisa ensuite de cet entretien. Je reçus peu après une lettre de M. de Reffye, officier d'ordonnance de l'Empereur, m'indiquant une audience aux Tuileries, où Sa Majesté me donna directement ses premières instructions, en m'annonçant le chiffre de la première somme qu'elle affectait aux travaux.

J.-G. Bulliot,
Fouilles du Mont Beuvray
(ancienne Bibracte)
de 1867 à 1895, Autun, 1899

René Joffroy et le «trésor» de Vix

René Joffroy, professeur de philosophie au lycée de Chatillon-sur-Seine, préhistorien amateur, étudiait depuis de nombreuses années l'oppidum celtique du mont Lassois. Un jour de janvier 1953, un curieux objet en bronze apparaît dans un sondage au pied de l'oppidum.

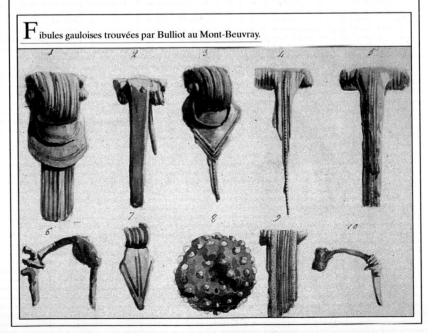

F ibules gauloises trouvées par Bulliot au Mont-Beuvray.

Le grand vase de Vix apparaît dans la fouille. A gauche Joffroy, à droite Moisson.

Les épisodes d'une découverte imprévue

La campagne de fouilles de 1952 fut intéressante certes, mais sans plus : elle fournit quelques milliers de tessons céramiques, mais on en avait déjà tant !

La campagne de fouilles avait débuté en septembre : on avait cette année-là décidé de remplacer les quatre ouvriers travaillant pendant un mois par le seul Moisson travaillant pendant quatre mois. Il y a là une arithmétique administrative inflexible, et les résultats cependant diffèrent.

Au mois d'octobre, temps de la chasse en plaine, Moisson me dit un jour avoir remarqué dans un champ au pied du mont Lassois la présence de pierres qui, de par leur nature géologique, étaient étrangères au site. C'est là langage savant ; Moisson, beaucoup plus simplement, m'avait signalé qu'il y avait des cailloux qui n'avaient rien à faire dans ce champ. C'est en parcourant les sillons à la recherche du lièvre et de la perdrix que Moisson avait fait cette remarque. Chasseur passionné, il est observateur ; ce n'est point activités incompatibles, au contraire.

Déjà à plusieurs reprises nous avions eu l'occasion de détecter des restes d'habitations gallo-romaines ; mais fouiller du gallo-romain à Vix, capitale du monde celtique, fi !

Et la campagne de fouilles sur le mont Lassois se termina le 29 décembre 1952. Campagne menée avec un louable souci d'économie, puisque non seulement la subvention du ministère n'avait pas été dépassée, mais il y avait même un petit reliquat de 15.000 francs.

Que pouvait-on avoir pour 15.000 francs ?

Mais enfin il fallait utiliser ces 15.000 francs. C'est pourquoi, le 3 janvier, Moisson, par une matinée grise, se dirigea, sa pioche sur l'épaule, vers le champ où, ça et là, des pierres lavées par les pluies faisaient des taches plus claires.

Le sondage fait apparaître les structures d'un tumulus. Les fouilles se poursuivent.

C'était un mardi matin, et il m'en souvient bien. Il est 7h15. Alors que je suis en train de me raser, un coup de sonnette retentit. Quel peut être le fâcheux qui vient à une heure si matinale ? Dans la porte ouverte s'encadre Moisson et le rapport m'est fait, court et sans fioritures de style :

– Vous n'étiez pas parti depuis cinq minutes qu'en retirant des cailloux je suis tombé sur quelque chose en bronze. Je n'ai touché à rien. Il faut que vous veniez.

Hélas, l'Université, en l'occurrence le collège de Châtillon, m'attend ! Et, comble de malchance, le mardi j'ai cours de 8 heures à midi, deux heures de philo, une heure de latin, une heure de français. Je questionne Moisson :

– Ce morceau de bronze, comment est-il ?

Je pense tout de suite à une situle, sorte de seau tronconique, ou à un ciste, autre forme de seau dont le décor est formé de ceintures parallèles en relief. Je décris ces récipients ; mes paroles

n'éveillent en Moisson aucun écho. Non, la petite lessiveuse ou le seau en bronze, ce n'est pas cela, et c'est par cette description imagée, mais combien énigmatique, que Moisson conclut :

– C'est arrondi, massif, et ça ressemble à un bât de mulet.

Et l'entretien se clôt sur ce leitmotiv : «Il faut venir tout de suite.»

Midi. Je regagne la maison. Ma motocyclette est dans le garage. Un quart d'heure après je suis à Vix. J'entre chez Moisson. Sur la table il y a, soigneusement groupés en tas, des tessons grecs à figures noires, et, pour la première fois, ces tessons se raccordent ; on imagine que quelques gouttes de colle suffiront pour remonter un vase – c'est une coupe – complet.

Je vais sur le site. Paris y est aussi. Moisson enlève un vieux sac tout mouillé et quelques pierres, protection qu'il avait mise contre d'éventuels curieux. Apparaît alors le visage d'une Gorgone. C'est Méduse, qui fort irrévérencieusement me tire la langue.

Paris dit : «C'est sensationnel». Moi, je ne dis mot. Nous enlevons des pierres pour y voir mieux : le «bât de mulet» se révèle être le dos d'une anse d'un vase énorme, sans équivalent connu. Entre les pierres brille un reflet de métal clair : c'est une coupe en argent, cabossée, mais dont le fond est orné d'un ombilic en or ; dedans il y a des ossements verdis d'un petit animal, qui ont une teinte magnifique de malachite. Tout cela est recueilli avec soin. Et je songe qu'à 3 heures j'ai un cours de latin. Il me faut partir. Une neige fine tombe toujours, enveloppant d'un voile mélancolique la terre empesée de richesses imprévues...

R. Joffroy,

Le trésor de Vix. Histoire et portée d'une grande découverte,

Paris, 1962

Les fantasmes de l'archéologie

Dans l'histoire de l'archéologie, les connaissances ne progressent pas seulement par des découvertes, mais aussi par des spéculations dont la postérité définit – à plus ou moins long terme – l'exactitude. Aussi, quand une hypothèse est émise, elle en vaut a priori une autre. Même les hypothèses infirmées par la suite présentent un intérêt : avoir suscité d'autres recherches, dont les résultats peuvent être contradictoires. Le Briquetage de Marsal, Alaise et même Glozel, à des degrés divers, sont des fantasmes qui n'ont peut-être pas été tout à fait inutiles.

Le «Briquetage» de Marsal

Sous le nom de «Briquetage de Marsal» se cachent les interrogations de plusieurs générations d'archéologues. Marsal est un village de Lorraine, dans la vallée alors marécageuse de la Seille, sous lequel, dès le XVIIIᵉ siècle, ont été repérées d'étranges structures en briques cuites. A quoi avait servi ce «briquetage», de quand datait-il ? Des explications à la mesure de l'étrangeté de la chose ont été données. On peut en sourire aujourd'hui. Mais elles ne sont pas toutes absurdes, et ont, par les recherches et les observations ainsi suscitées, participé aux progrès de l'archéologie.

Il y a longtemps que le Briquetage de Marsal excite la curiosité des savants. Cet ouvrage que l'on pourrait attribuer aux Romains a donné occasion à nombre de dissertations. Je sais même qu'il a servi de matière à quelques conversations, en présence d'un ministre, aussi occupé du progrès des sciences et des recherches qui peuvent y contribuer que zélé pour le bien de l'Etat.

Monsieur Lancelot de l'Académie des Inscriptions et Belles-Lettres, sachant que j'avais l'honneur d'être employé en qualité d'ingénieur [du Génie militaire] à Marsal, m'a témoigné souhaiter que je fisse la description de ce Briquetage. [...]

C'est dans Marsal et aux environs, que l'on trouve, en fouillant une certaine profondeur en terre, ce que l'on nomme vulgairement Briquetage. Ce qui forme ce Briquetage est un assemblage de briques, ou morceaux de terre cuite rougeâtres, comme sont les briques cuites au four. Tous ces morceaux de terre cuite n'ont point été moulés, on leur a donné avec les mains telle figure qu'on a voulu, les uns sont en cylindre, d'autres en espèce de cône, ou de parallélépipède, ou de quelque figure informe : on en voit plusieurs où l'empreinte de la main est parfaitement marquée, le moule des doigts ou du bout des doigts. [...]

Ces morceaux mêlés les uns parmi les autres, gros, moyens, petits, très petits, avec la cendre et les autres parcelles qui se trouvent dans les fours à briques, et jetés confusément sur le marais, sans mortier ni chaux, et sans aucune matière, forment un corps ou massif de briques sur lequel est bâtie la ville de Marsal.

Les Romains, surtout dans la construction de leurs chaussées, commençaient par affermir le sol, en mettant dessus une première couche de matière solide, comme la pierre, du cailloutage, de la grève de mer, ou du sable de montagne selon les lieux : sur cette base ils établissaient leurs ouvrages. Ce qui a donné occasion au Briquetage est apparemment dans la même vue de mettre un corps solide dans ce marais sur lequel l'on pût assoir les ouvrages que l'on avait dessein de construire. [...]

Je n'entreprendrai point de discuter ici en quel temps ce Briquetage a été fait ; je ne connais aucun historien qui en ait parlé [en dépit du dépouillement des archives de Nancy]. Ce qui pourrait faire conjecturer que cet ouvrage est dès le temps des Romains, ce sont des fourneaux à fondre du cuivre bâtis sur le Briquetage, qui furent trouvés à 22 pieds [plus de six mètres] de profondeur sous le rez-de-chaussée, en creusant la fondation du couvent des Religieuses de Marsal. [...]

Vers ces fourneaux dans la même fondation on a trouvé un vase antique d'une terre rougeâtre vernissée en dedans et en dehors, d'un grain très beau et très fin. Au fond de ce vase est écrit en très beau caractère romain CASSIVS. F. On ne peut douter que ce morceau ne

soit antique ; il était d'ailleurs enfoui à 22 pieds de profondeur, il est probable qu'il y est depuis qu'il existe; ce qui ferait aussi remonter le briquetage jusqu'au temps des Romains. [...]

Je ne sais si je dois parler d'une tradition qui assure que c'est un Tarquin qui a fait faire cet ouvrage, et que le même a bâti une ville au milieu de l'étang de Lindre, à deux lieues et demie de Marsal ; en conséquence de cette tradition, quelques auteurs l'appellent *Tarquini populis, Tarquimpole, la ville de Tarquin.*

Artèze de La Sauvagère,
Recherches sur la nature d'un ancien ouvrage des Romains, appelé communément Briquetage de Marsal,
Paris, 1740

Prosper Dupré, directeur des Salines de Moyenvic, et antiquaire amateur, au début du XIXᵉ siècle, va tenter de réfuter la datation de La Sauvagère.

L'étendue, l'épaisseur des couches [du «Briquetage» de Marsal], ne permettent pas de penser que cet ouvrage remarquable ait été l'œuvre simultanée de quelques années ; on doit plutôt y voir le travail de plusieurs générations qui avaient à conquérir un terrain solide sur les marais. [...]

On a produit un fragment de poterie de fabrique romaine comme ayant été trouvé dans le briquetage. [...] On sait assez que c'est en dessous ou à l'extérieur que ces sortes de vases et les lampes retrouvées par centaines offrent les noms des potiers, qui avaient intérêt à se faire connaître. [...] On attribue aux Romains des fourneaux qu'on veut avoir été destinés à fondre le cuivre, métal connu pour avoir servi à la fabrication des armes antiques. [...]

Mais tout en suspectant l'inscription, admettons que le fragment [de poterie] soit romain ; attachons-nous seulement aux circonstances de sa découverte, et elles ne nous paraissent en rien conclure en faveur du briquetage comme ouvrage des Romains. [...] On a raisonné ainsi ; on a dit : un vase de fabrique romaine s'est trouvé à côté des fourneaux, donc l'un et les autres sont du même temps, et les fondations de ces derniers, c'est-à-dire le briquetage, étant encore plus anciennes, il s'ensuit qu'elles sont de construction romaine. C'est comme si l'on disait aujourd'hui : les fortifications de 1699 [de Marsal] assises sur le briquetage sont antiques, parce que dans leur maçonnerie se trouvent quelques fragments d'antiquités. Tout cet arrangement tombe, si nous prouvons qu'il a été adapté à une hypothèse. Nous disons qu'il n'est pas nécessaire de recourir aux Romains pour expliquer l'origine de ces fourneaux, et la place occupée par le fragment [de poterie] au moment de sa découverte. [...]

L'uniformité de construction du briquetage prouve une origine et une destination communes, et, doit-on leur attribuer un but militaire, c'est sous les rois [de France] de la première et de la seconde race qu'il faudrait le chercher. [...] Un seul fragment de vase, dont nous contestons l'inscription et qui dès lors pourrait appartenir aux quinzième et seizième siècle qui nous ont aussi fourni des poteries rouges assez fines et légères, ne suffirait pas, dût-il être romain, pour prouver qu'il est contemporain du briquetage. [...]

Nous avons promis une explication plus probable, et nous croirions ne pas présenter une vaine conjecture, en attribuant ce travail unique en son genre, à la protection des sources salées, et à la nécessité où se trouvait la population attachée à leur exploitation, de s'établir, de se grouper le plus près possible, et d'assoir une base solide où elle pût construire et s'élever au-dessus des inondations annuelles dans cette vallée.

Dupré,
Mémoire sur les antiquités de Marsal et de Moyenvic, Paris, 1829

Quelques décennies plus tard l'architecte Prosper Morey (1805-1886), un moment président de l'Académie Stanislas à Nancy, va développer l'hypothèse d'une liaison entre le «briquetage» et l'exploitation des sources salées, et ramener sa datation à l'époque romaine.

Il n'y a que les monuments encore existants qui puissent nous instruire sur l'antiquité des populations de ces contrées, et nous montrer le degré de civilisation de ces anciennes peuplades [les Gaulois] dont le pays offrait à l'œil d'immenses forêts, un sol sillonné de ravins ou couvert d'eaux stagnantes, des repères d'animaux féroces. [...]

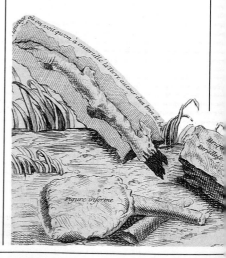

Ce qu'on a peine à comprendre, c'est qu'ayant des pierres en abondance sous la main, on se soit donné tant de peine, et qu'on ait usé tant de bois afin d'y suppléer.

Après avoir réfuté l'hypothèse de la fabrication de briques pour confectionner un sol artificiel, Morey en vient à son explication du «briquetage».

Il existait donc une autre raison que celle d'affirmer le sol par une telle fabrication; et cette cause semble être expliquée par un passage de Pline [l'Ancien]. Cet auteur nous apprend, en effet, qu'avant la conquête des Gaules par les Romains la fabrication du sel consistait à jeter de l'eau salée sur des brasiers [*Morey suppose qu'il s'agit de briques chauffées*] Cette altération [à l'usage] explique la grande quantité de terre cuite que l'on jetait au rebut et qui forma plus tard un sol soluble, jusqu'au moment où son poids trop considérable le fit disparaître sous la vase dans certains endroits, tandis que dans d'autres, au contraire, il offrit assez de résistance pour qu'on osât y construire sans crainte, sous Louis XIV, les remparts bastionnés de Marsal, qui existent encore de nos jours.

P. Morey,
«De quelques antiquités gauloises en Lorraine, particulièrement du briquetage de la Seille», dans *Mémoires de l'Académie Stanislas*, 1867

On pense effectivement aujourd'hui que le «briquetage» est composé de cylindres de terre cuite qui étaient chauffés puis arrosés d'eau salée pour que le sel s'y dépose, mais que cette technique était antérieure à la conquête romaine.

Alphonse Delacroix et Alaise

Delacroix (Dôle 1807-Besançon 1878), bien qu'inventeur d'une des plus grandes erreurs de l'histoire de l'archéologie (Alésia situé à Alaise en Franche-Comté), qui eut un succès inattendu, fut à Besançon un archéologue passionné et un architecte talentueux.

A 25 kilomètres au sud de Besançon, près de la source du Lison et les monts de Salins, se trouve le Pays d'Alaise, massif de rochers presque inaccessibles. Là sont cachés dans les clairières d'une vaste forêt, les deux hameaux d'Alaise et de Sarraz. Malgré le voisinage de Nans-sous-Sainte-Anne, où viennent en partie de plaisir tous les Franc-Comtois et les Bourguignons qui aiment les beaux

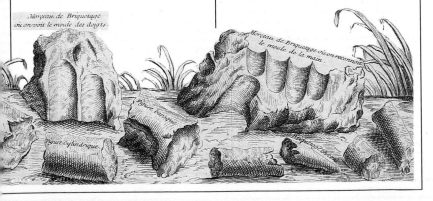

Morceau de Briquetage où on voit le moule des doigts.

Morceau de Briquetage où on reconnaît le moule de la main.

paysages, rarement quelqu'un se hasarde à visiter le pays d'Alaise, à moins qu'il ne soit agent du fisc ou chasseur de sangliers. L'isolement est incroyable. Cependant les indigènes sont loin d'avoir une faible estime de leur pays. Ils conservent la tradition qu'Alaise fut jadis une ville, un refuge dans de grands événements, qu'il y eut une foule dans ce lieu sauvage ; et ils associent des idées de famine à celles de leurs splendeurs passées. Semblables au possesseur d'une médaille d'or, mais fruste, on les a vus maintes fois, dans l'hôtellerie de Nans où ils descendent les jours de fête, interroger, chercher qui pût éclaircir le mystère dont ils sont les gardiens.

Quant à moi, je me suis souvent assis à la table du père Hugon, le maître renommé de l'hôtellerie, à côté d'un ancien maire de Sarraz, connu sous le nom de vieux Sans-Souci ; j'ai assisté aux bruyantes causeries de ces braves gens. Le vieux Sans-Souci prenait plaisir à provoquer les gouailleries historiques de ses voisins.

Alaise est la ville, disaient les uns, mais Sarraz est la capitale du pays !

Ce sont des Sarrasins, disaient les plus savants ; c'est la race alerte, hardie et insouciante des anciens Maures.

Appelé dans ces lieux pour y faire construire la maison de chasse du comte de Pourtalès, à l'entrée du défilé des Camp-Baron, par lequel on va de Sarraz à Salins, j'aurais dû être frappé de la signification des noms que porte chaque colline de la forêt : tout cela était parlant ; mais alors je ne savais pas plus répondre aux choses qu'aux habitants de cet étrange canton.

L'imprévu a une grande part dans toutes les recherches. M'étant déchargé récemment de fonctions ingrates, je voulus consacrer quelques heures de loisir à la lecture de Jules César, cartes et compas en main, comme cela convient à un architecte.

Le septième livre des *Commentaires* prit bientôt pour moi un intérêt particulier. César, battu à Gergovie et séparé de l'Italie par les armées gauloises, les Cévennes et la difficulté des chemins, était obligé de tourner par le nord et d'appeler à son aide les Germains, ces Germains dont il disait, au premier livre : «Il trouvait dangereux pour le peuple romain que les Germains prissent l'habitude de franchir le Rhin et de venir en grande foule dans la Gaule. Il calculait que ces hommes hardis et barbares, une fois maîtres de toute la Gaule, comme jadis les Cimbres et les Teutons, se jetteraient sur la Province et de là sur l'Italie, surtout la Province n'étant séparée de la Séquanie que par le Rhône.

De ce côté, toute la difficulté consistait donc à traverser la Séquanie, dont une partie au moins, au dire de Plutarque, était encore pour César, ou à se maintenir dans ce pays.

Il fut donc évident pour moi que la lutte avait eu lieu dans la Séquanie, sur une ligne conduisant de Langres à Jougne, ou de Langres à Morey, en passant à gauche ou à droite de Besançon. Chacune de ces lignes est marquée par des traces d'antiques guerres dont l'histoire a oublié les noms, ou les aura transportés ailleurs, ainsi que cela s'est fait généralement pour le pays de Franche-Comté, pays de nombreuses batailles sans historiens, et où l'excès des désastres en a effacé le souvenir précis.

Je ne pouvais donc compter pour retrouver la piste véritable, que sur les noms des localités, sur l'habitude que j'ai prise depuis longtemps d'en déterminer le sens vrai, et sur les restes des castramétations. Reconnaissant bien vite que je n'avais rien à trouver au nord de

L e buste d'A. Delacroix, érigé dans le village d'Alaise.

Besançon, malgré les camps gaulois des environs de Vesoul, du mont Do-Mage et des Portes d'Orchamps, c'est alors que j'examinai la ligne du sud, par Osselle et Myon, et je rencontrai Alaise, Alaise que j'avais tant négligé, l'Alésia des *Commentaires*, l'Alaise qu'un registre obituaire de Saint-Anatoile de Salins écrivait encore Alesia au XIIIᵉ siècle.

Après avoir établi sur la carte une application du siège d'Alesia, je me mis en route, pour aller sur place compléter la vérification. Au lieu de l'entreprendre par Amancey que je connaissais davantage, je la commençai par le côté opposé, par Myon. M. Moine, maire de cette commune, voulut bien être mon guide, et dès le commencement de notre voyage nous retrouvions, là même où nous le cherchions, un vaste fossé situé derrière le village, sur la montagne.

– Voilà, dis-je ensuite au Maire, une plaine (planities), dont je voudrais connaître le nom ?

– Elle s'appelle le Plan.

– Quatre batailles ont été livrées dans cette plaine ; quelques noms de localités rappelleraient-ils ces faits ?

– Sans doute : l'extrémité du Plan s'appelle l'Ile-de-Bataille. Au reste voilà encore le Champ-du-Soldat, le Champ-du-Guidon ; et la tradition rapporte qu'à Myon même il y eut un camp de cavalerie.

– Et cette vaste friche qui occupe la partie de la plaine la plus rapprochée d'Alaise ?

– C'est Charfoinge.

Charfoinge, dont j'avais déjà traduit le nom avant le voyage, appelait toute mon attention ; ce nom de cimetière est resté à cinquante hectares d'une friche littéralement couverte de tumulus qui se touchent.

– Et ces montagnes au sud de Charfoinge ?

– Le grand Camp-Baron et le petit Camp-Baron.

– Le nom de cette montagne, que je crois être la citadelle (munitions) d'Alaise ?

– Les Mouniots, et non le Moniot, comme l'appellent les étrangers.

A. Delacroix, *Alésia*,
Besançon, 1856

L'affaire Glozel

L'affaire Glozel (village de l'Allier) éclate en 1927 après qu'un paysan bourbonnais, Emile Fradin, ait découvert au lieu-dit «Champ des Morts» des objets (céramiques, ossements, tablettes avec inscriptions) dont, aidé d'un archéologue vichyssois, le Dr Morlet, il fit les traces d'une civilisation préhistorique jusqu'alors inconnue, le «Glozelien». Le monde archéologique se partage alors en plusieurs camps : ceux qui croient au «Glozelien» (comme Salomon Reinach), ceux qui n'y voient qu'une supercherie (comme René Dussaud), et ceux qui tentent des interprétations plus ou moins prudentes (C. Jullian voit dans les objets «glozeliens» un équipement de sorcier).

QU'EST-CE QUE GLOZEL?

L'antre d'un "sorcier païen" et le plus beau gisement de sorcellerie du monde entier

Benjamin, admirateur de Ch. Maurras et M. Barrès, dans une série d'essais satiriques parus entre 1924 et 1929, s'est fait le critique acerbe de la démocratie parlementaire, de la magistrature, de la SDN. Il consacre en 1943 un ouvrage favorable au maréchal Pétain.

Dans Glozel, son but est de tourner en dérision la science, à travers quelques savants qui, pour lui, se ridiculisent en se contredisant.

Le musée Fradin est dans la maison Fradin, à côté de la salle et de la chambre Fradin. C'est une pièce de rez-de-chaussée Fradin, morne, humide, sans lumière. On y voit des vitrines Fradin, et dans les vitrines… Qu'y a-t-il dans ces vitrines ? On a beau se pencher, réfléchir, on a beau se dire que tout n'est pas rose dans la vie, on a beau être

"Glozel existe"
M. Salomon Reinach affirme l'authenticité du gisement néolithique

sérieux et appeler à son aide tout son jugement, sa volonté, son énergie. Il est très difficile de ne pas se mettre à bâiller, de ne pas être pris d'un secret désespoir, en même temps que de fourmis dans les membres, de ne pas sentir comme un relâchement des muscles et une descente de l'âme, de ne pas avoir envie de crier, de ne pas douter des hommes, de ne pas supplier Dieu !

O Dieu ! Mon Dieu ! Qu'est-ce que c'est que toutes ces choses, usées, grattées, déterrées, étiquetées ? Pourquoi faire ? Qu'est-ce qu'on peut voir, deviner, pronostiquer, comprendre ? Il y a de petits papiers sales, qui disent : «Morceau de poteries – harpon – deuxième molaire outil percutant – objet imprécis.»

Seigneur ! Et de quelle imprécision ! En de petits tas informes on a rassemblé ici tout ce qu'a découvert le bon M. Loth ; là, l'excellent M. Audollent ; là, le savant

M. Depéret. Ce sont des bouts, des débris, des fragments et des miettes ; ce sont des rangées et des rangées d'infimes et d'infâmes petites cochonneries. Que c'est laid ! Que c'est triste ! Que c'est inutile ! Par où sort-on ?

On sort par où on est entré, mais on n'est plus dans le même état. On est souffrant et… embêté.
Au moment de sortir, on voit près de la porte, sur une vitrine, en l'air : «Idoles Bissexuées.» Ah! on s'arrête! Ces deux mots tout de même représentent un espoir. Un sexe déjà serait quelque chose près de tant d'objets contre nature. Mais deux! On se croit comblé.

L'affaire de Glozel donna lieu à un procès intenté par la Société préhistorique française à la famille Fradin. Témoins à charge ou à décharge, les savants les plus célèbres, R. Dussaud, C. Jullian, S. Reinach, occupèrent les colonnes des quotidiens.

La Gaule littéraire

Il faut l'avouer, la Gaule et les Gaulois n'occupent pas une place fondamentale dans la littérature française. La Gaule, les monuments gallo-romains, les Gaulois ou les Gauloises, qui apparaissent quelquefois, se réduisent généralement à la vision que les contemporains des auteurs en ont. Prétextes à récits pittoresques, à discours nationalistes ou patriotiques, ils sont des objets plus souvent que des sujets.

Jean-Jacques à Nîmes

En septembre 1737, Rousseau, qui croit souffrir d'un polype au cœur, entreprend un voyage à Montpellier (il habite alors Chambéry), afin de s'y faire soigner par un médecin spécialiste de cette maladie. Il découvre en passant quelques monuments antiques. Sa description lyrique du Pont du Gard, son indignation devant les maisons qui encombrent l'amphithéâtre de Nîmes, autant de discours communs pour l'époque.

On m'avait dit d'aller voir le Pont du Gard ; je n'y manquai pas. Après un déjeuner d'excellentes figues, je pris un guide et j'allai voir le Pont du Gard. C'était le premier ouvrage des Romains que j'eusse vu. Je m'attendais à voir un monument digne des mains qui l'avaient construit. Pour le coup l'objet passa mon attente, et ce fut la seule fois en ma vie. Il n'appartenait qu'aux Romains de produire cet effet. L'aspect de ce simple et noble ouvrage me frappa d'autant plus qu'il est au milieu d'un désert où le silence et la solitude rendent l'objet plus

frappant et l'admiration plus vive ; car ce prétendu pont n'était qu'un aqueduc. On se demande quelle force a transporté ces pierres énormes si loin de toute carrière, et a réuni les bras de tant de milliers d'hommes dans un lieu où il n'en habite aucun. Je parcourus les trois étages de ce superbe édifice que le respect m'empêchait presque d'oser fouler sous mes pieds. Le retentissement de mes pas sous ces immenses voûtes me faisait croire entendre la forte voix de ceux qui les avaient bâties. Je me perdais comme un insecte dans cette immensité. Je sentais tout en me faisant petit, je ne sais quoi qui m'élevait l'âme, et je me disais en soupirant : que ne suis-je né Romain ! Je restai là plusieurs heures dans une contemplation ravissante. Je m'en revins distrait et rêveur, et cette rêverie ne fut pas favorable à Madame de Larnage. Elle avait bien songé à me prémunir contre les filles de Montpellier, mais non pas contre le Pont du Gard. On ne s'avise jamais de tout.

A Nîmes j'allai voir les Arènes. C'est un ouvrage beaucoup plus magnifique que le Pont du Gard, et qui me fit beaucoup moins d'impression, soit que mon admiration se fut épuisée sur le premier objet, soit que la situation de l'autre au milieu d'une ville fut moins propre à l'exciter. Ce vaste et superbe cirque est entouré de vilaines petites maisons, et d'autres maisons plus petites et plus vilaines encore en remplissent l'arène de sorte que le tout ne produit qu'un effet disparate et confus, où le regret et l'indignation étouffent le plaisir et la surprise. J'ai vu depuis le cirque de Vérone infiniment plus petit et moins beau que celui de Nîmes, mais entretenu et conservé avec toute la décence et la propreté possibles, et qui par cela même me fit une impression plus forte et plus agréable. Les Français n'ont soin de rien et ne respectent aucun monument. Ils sont tout feu pour entreprendre et ne savent rien finir ni rien conserver .

J.-J. Rousseau, *Les confessions*, livre VI, Genève, 1782

Velléda, druidesse et martyre chez Chateaubriand

Dans «Les Martyrs», Chateaubriand, voulant consacrer un épisode aux Gaulois, emprunte le personnage de Velléda aux Germains, ne trouvant pas dans les auteurs latins une druidesse celtique. Nourri par la littérature celtomane de son temps, il trace un portrait plutôt conventionnel d'une druidesse cueillan: du gui et s'adonnant à un sacrifice.

On s'avança vers le chêne de trente ans où l'on avait découvert le gui sacré. On dressa au pied de l'arbre un autel de gazon. Les Sénanis y brûlèrent un peu de pain, et y répandirent quelques gouttes d'un vin pur. Ensuite un Eubage vêtu de blanc monta sur le chêne, et coupa le gui avec la faucille d'or de la Druidesse ; une saie blanche étendue sous l'arbre reçut la plante bénite ; les autres Eubages frappèrent les victimes, et le gui, divisé en égales parties, fut distribué à l'assemblée.

Cette cérémonie achevée, on retourna à la pierre du tombeau, on planta une épée nue pour indiquer le centre du Mallus ou du conseil : au pied du Dolmin étaient appuyées deux autres pierres qui en soutenaient une troisième couchée horizontalement. La Druidesse monte à cette tribune. Les Gaulois debout et armés l'environnent, tandis que les Sénanis et les Eubages élèvent des flambeaux : les cœurs étaient secrètement attendris par cette scène qui leur rappelait l'ancienne liberté. Quelques guerriers en cheveux blancs laissaient tomber de grosses larmes qui roulaient sur leurs boucliers. Tous penchés en avant et appuyés sur leurs lances, ils semblaient déjà prêter l'oreille aux paroles de la Druidesse.

Elle promena quelque temps ses regards sur ces guerriers représentants d'un peuple qui le premier osa dire aux hommes : «Malheur aux vaincus !» Mot impie retombé maintenant sur sa tête ! On lisait sur le visage de la Druidesse l'émotion que lui causait cet exemple des vicissitudes de la fortune. Elle sortit bientôt de ses réflexions, et prononça ce discours :

«Fidèles enfants de Teutatès, vous qui, au milieu de l'esclavage de votre patrie, avez conservé la religion sans verser des larmes ! Est-ce là le reste de cette nation qui donnait des lois au monde ? Où sont ces Etats florissants de la Gaule, ce Conseil des Femmes auquel se soumit le grand Annibal ? Où sont ces Druides qui élevaient dans leurs collèges sacrés une nombreuse jeunesse ? Proscrits par les tyrans, à peine quelques-uns d'entre eux vivent inconnus dans des antres sauvages. Velléda, une faible Druidesse, voilà donc tout ce qui vous reste aujourd'hui pour accomplir vos sacrifices ! O île de Sayne, île vénérable et sacrée ! je suis demeurée seule des neuf vierges qui desservaient votre sanctuaire! Bientôt Teutatès n'aura plus ni prêtres ni autels. Mais pourquoi perdrions-nous l'espérance ? J'ai à vous annoncer les secours d'un allié puissant : auriez-vous besoin qu'on vous retraçât le tableau de vos souffrances pour vous faire courir aux armes ? Esclaves en naissant, à peine avez-vous passé le premier âge que des romains vous enlèvent. Que devenez-vous ? Je l'ignore. Parvenus à l'âge d'homme, vous allez mourir sur la frontière pour la défense de vos tyrans, ou creuser le sillon qui les nourrit. Condamnés aux plus rudes travaux, vous abattez vos forêts, vous tracez avec des fatigues inouïes les routes qui introduisent l'esclavage jusque dans le cœur de votre pays : la servitude, l'oppression et la mort accourent sur ces

V elléda, debout sur un dolmen, un
couteau à la main, attend le sacrifié.

chemins en poussant des cris
d'allégresse, aussitôt que le passage est
ouvert. Enfin, si vous survivez à tant
d'outrages, vous serez conduits à Rome :
là, renfermés dans un amphithéâtre, on
vous forcera de vous entre-tuer, pour
amuser par votre agonie une populace
féroce. Gaulois, il est une manière plus
digne de vous de visiter Rome !
Souvenez-vous que votre nom veut dire

voyageur. Apparaissez tout à coup au
Capitole, comme ces terribles voyageurs
nos aïeux et vos devanciers. On vous
demande à l'amphithéâtre de Titus ?
Partez ! Obéissez aux illustres
spectateurs qui vous appellent. Allez
apprendre aux Romains à mourir, mais
d'une tout autre façon qu'en répandant
votre sang dans leurs fêtes : assez
longtemps ils ont étudié la leçon, faites-la
leur pratiquer. Ce que je vous propose
n'est point impossible. Les tribus des
Francs qui s'étaient établies en Espagne
retournent maintenant dans leur pays ;
leur flotte est à la vue de vos côtes ; ils
n'attendent qu'un signal pour vous
secourir. Mais si le ciel ne couronne pas
nos efforts, si la fortune des Césars doit
l'emporter encore, eh bien ! nous irons
chercher avec les Francs un coin du
monde où l'esclavage soit inconnu ! Que
les peuples étrangers nous accordent ou
nous refusent une patrie, terre ne peut
nous manquer pour y vivre ou pour y
mourir. »

Je ne puis vous peindre, seigneurs,
l'effet de ce discours prononcé à la lueur
des flambeaux, sur une bruyère, près
d'une tombe, dans le sang des taureaux
mal égorgés qui mêlaient leurs derniers
mugissements aux sifflements de la
tempête : ainsi l'on représente ces
assemblées des esprits de ténèbres que
des magiciennes convoquent la nuit dans
les lieux sauvages. Les imaginations
échauffées ne laissèrent aucune autorité
à la raison. On résolut sans délibérer de
se réunir aux Francs. Trois fois un
guerrier voulut ouvrir un avis contraire,
trois fois on le força au silence, et à la
troisième fois le héraut d'armes lui coupa
un pan de son manteau.

Ce n'était là que le prélude d'une
scène épouvantable. La foule demande à
grands cris le sacrifice d'une victime
humaine, afin de mieux connaître la

volonté du ciel. Les Druides réservaient autrefois pour ces sacrifices quelque malfaiteur déjà condamné par les lois. La Druidesse fut obligée de déclarer que, puisqu'il n'y avait point de victime désignée, la religion demandait un vieillard, comme l'holocauste le plus agréable à Teutatès.

Aussitôt on apporte un bassin de fer, sur lequel Velléda devait égorger le vieillard. On place le bassin à terre devant elle. Elle n'était point descendue de la tribune funèbre d'où elle avait harangué le peuple ; mais elle s'était assise sur un triangle de bronze, le vêtement en désordre, la tête échevelée, tenant un poignard à la main, et une torche flamboyante sous ses pieds. Je ne sais comment aurait fini cette scène : j'aurais peut-être succombé sous le fer des Barbares en essayant d'interrompre le sacrifice ; le ciel dans sa bonté ou dans sa colère mit fin à mes perplexités.

Les astres penchaient vers leur couchant. Les Gaulois craignirent d'être surpris par la lumière. Ils résolurent d'attendre, pour offrir l'hostie abominable, que Dis, père des ombres, eût ramené une autre nuit dans les cieux. La foule se dispersa sur les bruyères, et les flambeaux s'éteignirent. Seulement quelques torches agitées par le vent brillaient encore çà et là dans la profondeur des bois, et l'on entendait le chœur lointain des Bardes, qui chantait en se retirant ces paroles lugubres :

Teutatès veut du sang ; il a parlé dans le chêne des Druides. Le gui sacré a été coupé avec une faucille d'or, au sixième jour de la lune, au premier jour du siècle. Teutatès veut du sang ; il a parlé dans le chêne des Druides !

R. de Chateaubriand,
Les Martyrs, 1809

Bouvard, Pécuchet, et la celtomanie

Dans la ligne de mire de Flaubert, il y aussi les archéologues. Mythes, syncrétismes, connaissances balbutiantes, Flaubert fait tenir à Bouvard et Pécuchet les discours les plus ridicules. Ironie facile : le romancier a pris soin de fonder leurs discours sur des connaissances largement dépassées en cette fin de XIXe siècle.

Le lendemain, dès l'aube, ils se rendirent au cimetière.

Bouvard, avec sa canne, tâta à la place indiquée. Un corps dur sonna. Ils arrachèrent quelques orties et découvrirent une cuvette en grès, un font baptismal où des plantes poussaient.

On n'a pas coutume cependant d'enfouir les fonts baptismaux hors des églises.

Pécuchet en fit un dessin, Bouvard la description, et ils envoyèrent le tout à Larsonneur.

Sa réponse fut immédiate.

«Victoire, mes chers confrères ! Incontestablement c'est une cuve druidique.»

Toutefois qu'ils y prissent garde ! La hache était douteuse, et autant pour lui que pour eux-mêmes il leur indiquait une série d'ouvrages à consulter.

Larsonneur confessait en post-scriptum son envie de connaître cette cuve, ce qui aurait lieu, à quelque jour, quand il ferait le voyage de la Bretagne.

Alors Bouvard et Pécuchet se plongèrent dans l'archéologie celtique. D'après cette science, les anciens Gaulois, nos aïeux, adoraient Kirk et Kron, Taranis, Esus, Nétalemnia, le Ciel et la Terre, le Vent, les Eaux, et, par-dessus tout, le grand Teutatès, qui est le Saturne des païens. Car Saturne, quand il régnait en Phénicie, épousa une nymphe nommée Anobret, dont il eut un enfant

appelé Jeüd, et Anobret a les traits de Sara, Jeüd fut sacrifié (ou près de l'être) comme Isaac ; donc Saturne est Abraham, d'où il faut conclure que la religion des Gaulois avait les mêmes principes que celle des Juifs.

Leur société était fort bien organisée. La première classe de personnes comprenait le peuple, la noblesse et le roi, la deuxième les jurisconsultes, et dans la troisième, la plus haute, se rangeaient, suivant Taillepied, «les diverses manières de philosophes», c'est-à-dire les Druides, ou Saronides, eux-mêmes divisés en Eubages, Bardes et Vates.

Les uns prophétisaient, les autres chantaient, d'autres enseignaient la botanique, la médecine, l'histoire et la littérature, bref «tous les arts de leur époque». Pythagore et Platon furent leurs élèves. Ils apprirent la métaphysique aux Grecs, la sorcellerie aux Persans, l'aruspicine aux Etrusques, et, aux Romains, l'étamage du cuivre et le commerce des jambons.

Mais de ce peuple, qui dominait l'ancien monde, il ne reste que des pierres, soit toutes seules, ou par groupes de trois, ou disposées en galeries, ou formant des enceintes.

Bouvard et Pécuchet, pleins d'ardeur, étudièrent successivement la Pierre du Post à Ussy, la Pierre Couplée au Guest, la Pierre du Darier, près de Laigle, d'autres encore !

Tous ces blocs, d'une égale insignifiance, les ennuyèrent promptement ; et un jour qu'ils venaient de voir le menhir du Passais, ils allaient s'en retourner, quand leur guide les mena dans un bois de hêtres, encombré par des masses de granit pareilles à des piédestaux ou à de monstrueuses tortues.

La plus considérable est creusée comme un bassin. Un des bords se relève, et du fond partent deux entailles qui descendent jusqu'à terre ; c'était pour l'écoulement du sang, impossible d'en douter ! Le hasard ne fait pas de ces choses.

Les racines des arbres s'entremêlaient à ces rocs abrupts. Un peu de pluie tombait ; au loin, les flocons de brume montaient, comme de grands fantômes. Il était facile d'imaginer sous les feuillages les prêtres en tiare d'or et en robe blanche, avec leurs victimes humaines, les bras attachés dans le dos, et, sur le bord de la cuve, la druidesse observant le ruisseau rouge, pendant qu'autour d'elle la foule hurlait, au tapage des cymbales et des buccins faits d'une corne d'auroch.

Tout de suite, leur plan fut arrêté.

Et une nuit, par un clair de lune, ils prirent le chemin du cimetière, marchant comme des voleurs, dans l'ombre des maisons. Les persiennes étaient closes et les masures tranquilles ; pas un chien n'aboya.

Gorju les accompagnait ; ils se mirent à l'ouvrage.

On n'entendait que le bruit des

cailloux heurtés par la bêche qui creusait le gazon.

Le voisinage des morts leur était désagréable ; l'horloge de l'église poussait un râle continu, et la rosace de son tympan avait l'air d'un œil épiant les sacrilèges. Enfin, ils emportèrent la cuve.

Le lendemain, ils revinrent au cimetière pour voir les traces de l'opération.

L'abbé, qui prenait le frais sur sa porte, les pria de lui faire l'honneur d'une visite ; et les ayant introduits dans sa petite salle, il les regarda

singulièrement.

Au milieu du dressoir, entre les assiettes, il y avait une soupière décorée de bouquets jaunes.

Pécuchet la vanta, ne sachant que dire.

«C'est un vieux Rouen, reprit le curé, un meuble de famille. Les amateurs le considèrent, M. Marescot surtout.»

Pour lui, grâce à Dieu il n'avait pas l'amour des curiosités ; et comme ils semblaient ne pas comprendre, il déclara les avoir aperçus lui-même dérobant le font baptismal.

Les deux archéologues furent très penauds, balbutièrent. L'objet en question n'était plus d'usage.

N'importe ! ils devaient le rendre.

Sans doute ! Mais, au moins, qu'on leur permît de faire venir un peintre pour le dessiner.

«Soit, messieurs.

– Entre nous, n'est-ce pas ? dit Bouvard, sous le sceau de la confession !».

L'ecclésiastique, en souriant, les rassura d'un geste.

Ce n'était pas lui qu'ils craignaient, mais plutôt Larsonneur. Quand il passerait par Chavignolles, il aurait envie de la cuve, et ses bavardages iraient jusqu'aux oreilles du gouvernement. Par prudence, ils la cachèrent dans le fournil, puis dans la tonnelle, dans la cahute, dans une armoire. Gorju était las de la trimbaler.

La possession d'un tel morceau les attachait au celticisme de la Normandie.

G. Flaubert,
Bouvard et Pécuchet

Alix, Astérix et autres Gaulois

L'intérêt que l'on prend à lire les aventures d'Alix ou d'Astérix tire largement ses origines de l'identification voulue entre Français et Gaulois.

Au cas où certains auraient oublié qu'ils sont nos ancêtres, Uderzo et Goscinny prêtent perpétuellement aux Gaulois les défauts et les qualités que se reconnaissent les Français, et multiplient les projections du présent sur le passé (allusions à l'automobile, à la télévision, au sport, aux chanteurs). Il s'agit d'abord évidemment d'un procédé pour faire rire, mais certaines conceptions idéologiques ou opinons politiques, plus ou moins consciemment, percent.

La chose dont il est le plus difficile de se détacher, même quand on écrit une bande dessinée, est le contexte général de l'époque. Pour Jacques Martin – père d'Alix – , qui entreprend le récit des aventures du jeune Gaulois peu après la Dernière guerre (en 1953), la distribution des rôles est claire : Vercingétorix incarne la résistance, Kildérik (le chef des Germains) la

barbarie, César la civilisation. La situation historique est idéalisée, puisque Gaulois et Romains se retrouvent comme alliés contre les Germains, comme Français et Américains l'ont finalement été contre les Allemands.

Accorder à Vercingétorix la figure du résistant est déjà flatteur, car le chef arverne est un héros vaincu. Mais le fait qu'il ait été vaincu par un peuple civilisateur justifie l'heureux dénouement : l'intégration par les Gaulois de la culture classique, la naissance d'une civilisation gallo-romaine. Plus tard, dans les années 1970, Alix illustrera des conflits davantage d'actualité, comme ceux liés au colonialisme ou à l'impérialisme.

Astérix s'embarrasse encore moins de vérités historiques. Alors que les manuels scolaires abandonnent l'association entre Gaulois et mégalithes, apparaît un Obélix marchand de menhirs. Il y a là comme une nostalgie des récits d'enfance, comme un clin d'œil à un mythe qui disparaît. Mais tout ne relève pas de l'imagerie populaire. Le «village gaulois» qui a résisté à la conquête romaine de la Gaule n'est pas une fiction innocente. Certes l'idée de ces irréductibles (grâce à la potion magique) vise d'abord à créer une situation prometteuse d'aventures. Mais elle a pour vertu de soigner deux plaies de la société française d'alors : le souvenir d'une certaine collaboration passive durant la Dernière guerre et la perte des colonies. *A contrario* Astérix (De Gaulle ?) témoigne de l'élan de résistance de l'ensemble des Français (Gaulois), et son refus de la domination romaine rappelle qu'un pays qui a été une grande puissance coloniale ne peut avoir été, même dans l'Antiquité, une colonie. La France a perdu l'Algérie, mais les Gaulois, en leur temps, avaient montré ce qu'ils savaient faire.

Les bandes dessinées, surtout si elles ne sont pas vraiment destinées aux enfants, véhiculent des idéologies à peine cachées, mais que bien des lecteurs, tout de même, ignorent. N'en faisons pas des messages : les idées politiques s'y expriment plus ou moins consciemment, comme dans toute œuvre. Par contre on pourra être gêné par des invraisemblances historiques qui ne sont pas toujours nécessaires au récit. La vérité n'est pas forcément moins drôle.

Pierre Pinon

BIBLIOGRAPHIE

Barret-Kriegel B., *Les Académies de l'Histoire*, PUF, Paris 1988.

Chevallier R., «Le Voyage archéologique au XVIe siècle», in *Voyager à la Renaissance*, Paris, 1987.

Collectif, *Nos ancêtres les Gaulois*, actes du colloque de Clermont-Ferrand, Université de Clermont-Ferrand II, 1982.

Dauvergne R., «L'Enfouissement des gisements gallo-romains», in *Hommages à Albert Grenier*, Coll. Latomus, Bruxelles, 1962.

Demoule J.-P., «La Préhistoire et ses mythes», in *Annales* E.S.C., n° 5-6, 1982.

Gran-Aymerich E. et J., «Visions de la Gaule indépendante au XIXe siècle. Mythe historique et réalité archéologique», in *Cæsarodunum*, XXIII, 1987.

Grenier A., «La Tradition de l'archéologie gallo-romaine», in *Manuel d'archéologie préhistorique, celtique et gallo-romaine*, Picard, Paris, 1931.

Harmand J., *Les Origines des recherches françaises sur l'habitat rural gallo-romain*, Coll. Latomus, Bruxelles, 1961.

Laming-Emperaire A., *Origines de l'archéologie préhistorique en France*, Picard, Paris, 1964.

Le Gall J., *Alésia. Archéologie et Histoire*, Fayard, Paris, 1963.

Pinon P., «Réutilisations anciennes et dégagements modernes de monuments antiques : Nîmes, Arles, Orange et Trèves», in *Cæsarodunum*, suppl. n° 3, Université de Tours, 1978.

Reinach S., «Esquisse d'une histoire de l'archéologie gauloise», in *Revue Celtique*, XIX, 1898.

Schnapp A., «Archéologie et tradition académique», in *Annales* E.S.C., n° 5-6, 1982.

Schnapper A., *Le Géant, la licorne, la tulipe. Collections françaises au XVIIe siècle*, Paris, 1988.

Simon A., *Vercingétorix et l'idéologie française*, Paris, 1989.

TABLE DES ILLUSTRATIONS

TÉMOIGNAGES
ET DOCUMENTS

INDEX

CRÉDITS PHOTOGRAPHIQUES

Roger Agache, Amiens 28d, 41h, 41b, 72/73, 93b, 108/109, 109h, 110, 111, 112, 122. Bibliothèque de Berne 54b, 55. Bibliothèque municipale, Poitiers 49b. Bibliothèque du Musée des Antiquités nationales, Saint-Germain-en-Laye couv. 1er plat, couv. dos, 66h, 67, 86h, 101b, 102h, 103h, 104b, 105hg, 105hd, 105b, 106/107. Bibliothèque de Narbonne 24b. Bibliothèque Nationale, Paris Couv, 1er plat, 1, 2, 3, 11, 12, 13, 14, 17b, 18h, 18/19b, 19h, 21, 22/23, 24/25, 26, 26b, 27, 28g, 29h, 29b, 30, 33b, 37, 38h, 42, 43, 44, 45, 54h, 56b, 57, 58, 58b, 59hg, 59hd, 59, 63, 64, 65, 69, 73, 74, 75, 84/85b, 93h, 94b, 96/97b, 115, 118, 119, 131, 138, 141, 144, 145, 152, 174, 175. Bridgeman, Londres 39. Charmet, Paris 25, 66b, 161, 162. CNMHS/SPADEM, Paris 62, 79b, 80, 82/83h, 82/83b, 85h, 158/159. Dagli-Orti, Paris 106, 107h. Direction départementale des Antiquités historiques de Bourgogne, Dijon 40. D.R. 15, 96h, 101h, 127, 145. Editions Castermann, Paris 166g. Editions Dargaud, Paris 166/167b. Editions Gallimard, Paris 4-7, 31, 38b, 51b, 56h. Editions Tallandier, Paris 99b, 100, 148, 164/165. Forhistorisk Museum, Moesgard 124/125. Giraudon, Paris 4e plat, 16, 32, 33h, 88/89, 90/91. Giraudon/Lauros, Paris 17, 51. Musée d'Aquitaine, Bordeaux 142. Museon Arlaten, Arles 34/35, 76/77. Musée Bargoin, Clermont-Ferrand 95. Musée Girodet, Montargis 94h. Musée Granet/B. Terlay, Aix-en-Provence 52/53. Musée du Vieux Nîmes 47, 50, 78h, 79h, 81h, 81b, 102/103b. Musées de la Ville de Paris/SPADEM, Paris 60/61. Pierre Pinon, Maisons-Alfort 70/71, 71h, 98/99h, 101h, 104b, 135, 137, 155, 156, 170. Réunion des musées nationaux, Paris 27b, 36, 86d, 87b, 92, 97h. Société archéologique de Sens/ J.P. Elie, Sens 20, 48, 49h, 68g, 68d, 84, 87h, 130, 134. Société éduenne, Autun 147.

COLLABORATEURS EXTÉRIEURS

Recherches iconographiques : Pierre Pinon et Chantal Hanoteau.
Maquette : Vincent Lever.

REMERCIEMENTS

Remerciements de l'éditeur : Roger Agache, archéologue; Françoise Dumas, conservateur à la bibliothèque de l'Institut, Paris; Corinne Potay et Pascal Trarieux, responsables du vidéodisque des musées de Nîmes; Alain Roussot, conservateur au musée d'Aquitaine, Bordeaux; Dominique Serena et son équipe, Museon Arlaten, Arles; Pierre Pitrou, photographe.
Remerciements de l'auteur : Jean-Claude Boyer, Bernard Brousse, Raymond Chevallier, Sylvie Deswarte, Jean Gran-Aymerich, Anne Lemaire, Claude Pétry, Lydwine Saulnier-Pernuit, Alain Schnapp et Agostina Pinon.

Table des matières